王大智作品集

青演堂叢稿初輯 隨筆

達爾文氏是吾師

王大智

萬卷樓

目次

達爾文氏是吾師－人性論二則
（完稿於 2013年5月19日）

楔子

學歷史的人，有自己的史觀很重要。史觀是史學觀點，也即是史家看問題的角度。如果沒有史觀，史家掌握再多史料，也不能將之貫穿起來；徒然成為「兩腳書櫥」而已。

> 《南史／陸澄傳》「澄當世稱為碩學，讀《易》三年不解文義，欲撰《宋書》竟不成。王儉戲之曰：陸公，書廚也。」每讀及此，不對「書廚」長太息；而對「當世稱為碩學」長太息。

成為典範的有名史觀不少，例如中國以道德檢驗政治興衰；馬克思（Karl Marx）以經濟檢驗政治興衰；湯恩比（Arnold Toynbee）以「挑戰與反應」，檢視文明、文化興衰等等。我向來喜歡生物學，（biology）考大學時，遭高中教師蒙騙，（以數學不好為由，「照規定」只准考文科）而錯念歷史。四十年來，我從未忘情生物。並且，總是隱隱約約把生物觀念納入歷史觀察中。或者，勉強說有了一種生物史觀罷。我的這種史觀，常常受到嘲笑。甚至有人在官方文件上否定我，並且白紙黑字的罵我：「你就靠本能做研究吧。」我對這種批評毫無意見。畢竟，本能型的學者比書櫥型的學者好得多。至少，多一點人味，多一點真性情。

是的，生物學（包括生態學 ecology，和種種延伸出來的學問）是我的極大愛好。近代史學家喜歡講「歷史的輔助科學」。生物學不是我的輔助科學，它是我直接的史觀來源；我用它檢視歷史，探討各種人的問題。用在做研究上，也用在寫小說上。最近，翻檢出兩篇近二十年前的隨想式小文。經過簡單改寫後，發表於此，算是一種思考紀錄。

（甲）人慾與獸慾

有句話叫做「天人交戰」；這句話說的很漂亮，說的也很誇大。從字面上看來，「天人交戰」是指神、人的戰爭。然而，神和人怎麼會有戰爭呢？這句話大概是影射罷；影射神、人在我們心中的矛盾與衝突罷。然而，這種說法，還是很有問題。我們是一種半神半人的動物麼？如果我們不是半神半人的動物，那些矛盾衝突，怎麼會在我們心中產生呢？所以說，「天人交戰」漂亮誇大；它別有所指，和字面意義有出入。

「天人交戰」的意思，確是指內心衝突。不過這種衝突和神（天）沒有關係，而是和獸有關係。如果我們不說「天人交戰」，而說「人獸交戰」，可能更為確切傳神。只是這種把神、人關係，降格為人、獸關係的說法，怕是多數人不能接受。

人是獸嗎？人當然是獸。人是一種有高等智力的獸－一種猿。我們和猿（猩猩）的形體相似；我們和猿（猩猩）的基因，相似至百分之九十七以上。

> 人和紅毛猩猩的基因相似度為97%。1400萬年以前，牠們開始和人類分別演化。人和大猩猩的基因相似度為98%。1000萬年前，牠們開始和人類分別演化。人和黑猩猩的基因相似度為99%。600萬年前，牠們開始和人類分別演化。

因此，所謂內心的「天人交戰」，不是神、人交戰，而是人、獸交戰－人慾與獸慾的交戰。人是半人半獸的動物，我們必須同時做人，又做獸。

> 多半人不承認自己是獸，想自絕於獸。以致玩弄數學上的大集合、小集合遊戲；以為人不是獸－因為有智之獸不等於獸，進化之獸不等於獸。這種說法純屬邏輯詭辯，和戰國公孫龍的「白馬非馬論」一樣。（可參《公孫龍子／跡府／白馬論》）

做獸有問題嗎？做獸其實很簡單，因為獸的生存模式很簡單：所有行為和動機，都源自於求偶覓食。求偶覓食之慾，即是獸慾。至於過好日子、過壞日子，大抵讓自然決定；讓各種偶然機率決定－真正的率性而聽天由命。

做人有問題嗎？做人的問題可大了。人雖然和獸一樣，以求偶覓食為生存目的，但是人有高等智力。智力的增加有好處，它能夠有效的滿足慾望。滿足我們求偶覓食，與求偶覓食衍生出來的各種慾望－所謂人慾。然而，智力是一柄雙刃的劍。它不但能夠滿足慾望，還能夠創造慾望。令人在做獸之際，不忘做人；行獸慾之際，不忘行人慾。人慾一旦發展，就漫無邊際不可收拾；非但有物質之慾，還有精神之慾；並且，大大不如獸慾般容易解決。智力不斷解決慾望，創造慾望，成為人的痛苦泉源。

人是半人半獸的動物；人之痛苦在人慾，而不在獸慾。「天人交戰」的世界，是人、獸交戰的矛盾痛苦世界。而人、獸交戰之可怕，在人慾多戰勝獸慾。人因為智力發達，非但不肯聽天由命，還妄想人定勝天。

做獸痛苦嗎？基本上獸之痛苦，遠遠較人為少。佛教講「天、人、阿修羅、畜生、鬼、地獄」六道輪迴，極為有趣。六道指死了以後靈魂流轉，則是宗教；六道指活著時候境界流轉，（心或心情的轉換）則是心理學。我常想，人的境界向上、向下，都能免除痛苦；做神做獸，都比人的痛苦少。這個想法，有點激烈，有點「呵佛罵祖」，有點狂禪。權且放在最後，作為一個註釋罷。

人慾與獸慾之補充－中國的「伊比鳩魯宣言」

這幾千年來，人的智力發展總是差不多；不因為空間（種族）時間（古今）而有什麼大分別。如果認為哪一種族之人聰明，則是偏見，如果認為今人比古人聰明，則是偏見。《列子 / 卷七 / 楊朱》有一篇千古妙文；講人慾和獸慾的不同與優劣。我二十年來，以之作為「中國歷史人物」的上課教材。並且跟學生說，該文是中國的「伊比鳩魯宣言」。《列子》看的人少，相信知道這篇文章的人也不多。現在，特別把它引錄在這裡，作為對人慾獸慾看法的一種補充。（該文是通暢的文言，不譯成白話。有興趣的可以一看，沒有興趣的，跳過也就好了。）

子產相鄭，專國之政三年。善者服其化，惡者畏其禁，鄭國以治。諸侯憚之。而有兄曰公孫朝，有弟曰公孫穆。朝好酒，穆好色。朝之室也聚酒千鐘，積麴成封。望門百步，糟漿之氣逆於人鼻。方其荒於酒也，不知世道之安危，人理之悔吝，室內之有無，九族之親疏，存亡之哀樂也。雖水火兵刀交於前，弗知也。穆之後庭比房數十，皆擇稚齒婑媠者以盈之。方其耽於色者，屏親昵，絕交遊，逃於後庭。以晝足夜，三月一出，意猶未愜。鄉有處子之娥姣者，必賄而招之，媒而挑之，弗獲而後已。子產日夜以為戚，密造鄧析而謀之曰：僑聞治身以及家，治家以及國。此言自於近至於遠也。僑為國則治矣，而家則亂矣，其道逆邪。將奚方以救二子，子其詔之。鄧析曰：吾怪之久矣，未敢先言。子奚不時其治也，喻以性命之重，誘以禮義之尊乎？子產用鄧析之言，因間以謁其兄弟而告之曰：人之所以貴於禽獸者，智慮。智慮之所將者，禮義。禮義成，則名位至矣。若觸情而動，耽於嗜欲，則性命危矣。子納僑之言，則朝自悔而夕食祿矣。朝穆曰：吾知之久矣，擇之亦久矣，豈待若言而後識之哉。…欲以禮義以夸人，矯情性以招名，吾以此為弗若死矣。為欲盡一生之歡，窮當年之樂，唯患腹溢而不得恣口之飲，力憊而不得肆情於色。不遑憂名聲之醜，性命之危也。楊朱曰：豐屋美服，厚味姣色，有此四者，何求於外？有此而求外者，無厭之性！（「豐屋美服，厚味姣色」獸慾也「無厭之性」人慾也－引錄者婆心之語）

（乙）適者與強者

百多年前，嚴復看赫胥黎《天演論》，把 natural selection, or survival of the fittest，翻譯為「物競天擇，適者生存」。赫胥黎是達爾文思想的發揚者。「物競天擇，適者生存」，原是達爾文《物種原始》一書的第四章標題。

也許，「適」字太過平淡。很多人把這句話，故意引導到「物競天擇，強者生存」的思路上去。似乎「強」這個字，才合乎叢林法則，鬥爭原理。這種錯誤引導，是達爾文遭到攻擊的最大原因。好像他的思想，是推崇強權的思想；並且，還給強權一種天擇式的宿命。這種違反達爾文思想，違反生物演化原則的思惟，對達爾文造成了傷害。

為什麼達爾文的生物理論，放到社會上要受扭曲呢？因為，人類社會中的自命強者，不願意扮演適者的角色；適者和強者的形象，看似很對立：強者，主動而不妥協；適者，被動而妥協。自命強者的人，怎麼肯接受被動而妥協的生命法則呢？適應即是改變自己，妥協即是改變自己。自命強者的人，哪裡肯改變自己呢？不肯改變自己，就離開「適」這個字遙遠了。

事實上，適者和強者，並沒有想像中的對立；非但不對立，它們之間還有些樸素的因果關係呢。我甚至以為，要真正了解適者與強者；要真正把「適者生存」的生物學道理，應用於現實社會之上；莫過於看中國一本老書－《易經》。

《易經》是群經之首，它對於大多數中國思想家，都有影響。《易經》最能啟發人的部分，應該是它的排列次序。所謂「君子所居而安者，易之序也」(《易經 / 繫辭上傳 / 第三章》) 六十四卦的排列次序，變化原則，根據作者主觀的演繹而來。也即是說，《易經》作者將其主觀思想，貫注在《易經》的諸卦排列次序上；六十四卦之所以這樣變化而不那樣變化，是《易經》作者思想的展現。

《易經》所附之〈十翼 / 序卦傳〉，是說明各卦次序的好文章。

該文把《易經》六十四卦的關係，說的很清楚。對於卦與卦的變化原因，〈序卦傳〉用了六十一個「故」，說明六十四卦間的六十一種邏輯關係；六十一種「因為／所以」的關係。（故之前，是客觀變化。故之後，是主觀因應。）

> 《易經》六十四卦，卦與卦間應有六十三種關係；六十三個「故」。然而，上經三十卦，乾坤兩卦不分（合稱為天地）所以少一關係，少一「故」。下經三十四卦，首卦「咸」卦與上經末卦「離」卦沒有銜接上，所以再少一關係，少一「故」。因此，六十四卦六十三種關係中，共少去兩種關係，兩個「故」；而有六十一種關係，六十一個「故」。

《易經》六十四卦的次序，到底依據什麼原則而變化呢？一言以蔽之，就是一個順字而已。順字意義大矣。順，強調永續的向前，而不停滯。凡是停滯，即是不順；所以順字從水從頁（首）－用水一般的思考方式，對待客觀變化：客觀上有利，就像水一般伸張；客觀上沒有利，就像水一般迂迴。換句話講，水不受到客觀變化的約束，只是在伸張、迂迴之間，不停止的向前－水只改變自己，從來不改變對方。《易經》各卦，只根據上一卦的強弱，而被動的應對以強弱，從來不主動的逞強或者示弱。這種像水一樣的被動應對，就是《易經》諸卦間的變化原則，就是《易經》作者的思想。這種思想，放在生物學中，就是「適」；也就是無論如何「競」、「擇」，都能長「存」的原因。

> 老子說，「上善若水」。司馬遷說，「老子深遠矣」。老子大概是真能體會《易經》的人。至於孔子，雖然相傳〈十翼〉為其所做。但是《論語》中的道家者流，批評他「知其不可為而為之」；《史記》中的老子，批評他「驕氣與多慾，態色與淫志」。看來孔子對《易經》心嚮往之，但是沒有做到。後來的儒家，則更是沒有做到。

所以我說，適者和強者之間，有一種因果關係－因為適，所以強。不能夠適，徒然在形象上、過程中逞其快意，非但不是強者，還是弱者特徵呢。這種對於強弱的看法，是真正達爾文的想法，是真正《易經》的想法。

《易經》思想的被動應對，就是生物法則中的適應。這種適應，在人生奮鬥中，是痛苦掙扎；在物種生存中，也是痛苦掙扎。物種最激烈的適應，即是突變（mutation）。人生最激烈的適應，即是突破（break through）。兩者因為範疇不同，而予人不相類似的感覺。事實上，突變和突破，都是經過痛苦掙扎，出現生命的新契機。都是因為改變自己，而得到因「適」而「存」的結果。「存」者才是最後贏家，「適」者才是真正強者－適者和強者是一種人。達爾文並沒有誇張強權的意思，他只是為強者下了一個新定義。我以為，他在科學中的發現，和中國思想家在人生中的發現，殊途同歸。達爾文科學地驗證了中國思想，中國思想經驗地闡述了科學事實。人畢竟是一種生物，人的道理，也與生物的道理相合。

適者與強者之補充－天道是生物學還是物理學？

宋朝陸九淵，根據他的「心即理也」理論，推演出「宇宙便是吾心，吾心即是宇宙」說法。後來中國喜歡把人和物理世界相比較，說什麼「小宇宙」「大宇宙」、「人道即天道」等等。我以為彼種說法氣魄很大，想像力很高邁，但是空疏了。也即是說，看看生物學，可以有助於了解人的問題；看看物理學，卻讓人迷惑，給人製造了更多的麻煩。因為，生物世界中才有適應問題，物理世界中則沒有。物理世界非但沒有適應，並且是真正各種「力」之間強凌弱、眾暴寡的質、量關係－強者絕不妥協，弱者絕無妥協（適應）的空間。人要是不承認自己是生物，而要凌駕生物，跑到物理世界的「力」上去找歸宿，那就太托大了；那就更要益發的自我膨脹了。不是這樣麼？

少年十五二十時
（完稿於 2014年5月10日）

前言

「少年十五二十時」，是王維〈老將行〉的第一句。記得高中國文老師王亞春，說中國詩人喜歡在數字上誇大；她就舉了〈老將行〉的「一身轉戰三千里，一劍曾當百萬師」為例。王亞春講這個話，也有四十年了。四十年來，雖然沒有「一身」「一劍」的功績，卻也有意氣風發的時候。在〈別號與心境〉文中，我說年輕時候膽量大，講過一些「不敢面對衝突，就是不敢面對人生」的話，也寫過一些「有年輕氣盛可貴、可愛之處」的短文。今日回首，看看這些三十多歲的寫作，雖然不覺可貴，倒仍覺得可愛。下面抄錄幾段，算是紀念。

我思故我行（1993.3.12）

道，就是路。路，便是要給人走的。

若是道路根本不能行走，則要繞道而行，名教聖教皆不得阻攔。吾有一聯「二教若為攔路虎。吾便身為打虎將」。說理甚明。

佛經始於「如是我聞」，表示其道理是從他處聽來的。孔夫子說「述而不作」，表示其學問也並非自己所有。此釋迦孔子之謙虛也。謙虛的結果，使二者成聖賢而不成英雄。中國只有聖賢學問，沒有英雄學問，此中國之悲哀。亞洲只有聖賢學問，沒有英雄學問，此亞洲之悲哀。吾不尚聖賢之學，因聖賢之世，從未降臨茲土。

不敢作英雄，至少作好漢。正如菩薩作不成，至少成個羅漢果一般。自了漢都作不成，則其思想，稱為玄學；其言論稱為清談；其著作稱為廢紙；其人生稱為惡道輪迴。

英雄好漢特色在於即知即行，不知亦行。凡因讀書而至懦弱者，不但應參陽明「知行合一」學說；更應對孔夫子「知其不可為而為之」的為字多下功夫。

笛卡爾說「我思故我在」。天下讀書人一個毛病，思一思便存在了麼？我寧可說「我吃飯故我在」。至少，我說「我思故我行」。

四修論（1993.5.5）

人生目的，在意志力的貫徹，也即是欲望的滿足。欲望滿足，是快樂的泉源。快樂，是人生一切活動的正面果實。

不敢追求快樂，不敢面對欲望，就是不敢面對自我本性。離道甚遠。無資格談論生存的意義與價值。

欲望不等於野心，野心只是欲望之一種。快樂不等於享樂，享樂只是快樂之一種。敢面對快樂欲望，健康而勇敢；將入三善道。反之。不敢將快樂欲望放在口中，甚或心中，懦弱而墮落；將入三惡道。

快樂是什麼，不能回答。快樂無固定方式，快樂定義因人而異。然而快樂的產生有一定原則，快樂必由滿足欲望而來。

孟子曰「充實之謂美」。人之欲望滿足與否，由其充實的程度決定。人生乃修習過程，最後之美惡，亦由其充實的程度決定。佛家的果位觀念有理。

人的欲望，由四個方向匯聚。曰：身體，知識，修養，財富。這四件事情必須日日修習，謂之四修。四修做到，精神物質之一切滿足隨之而來，無一掛漏。四修，是讓人不虞匱乏之法。不虞匱乏便快樂。

身體好，便會有生理上的快樂。知識多，便有精神上的快樂。修養高，便有人際上的快樂。財富足，便有物質上的快樂。這四種快樂，彼此交互影響，產生更大的快樂。

由小見大，在於國家，四修便是軍事，學術，政治，經濟。國家之安全與保障，由之而來。再由大見小，回到個人，哪個敢不修持？

四修須同時並進，不可偏廢。蠻橫霸道，酸腐不堪，狡猾奸詐，財大氣粗。就是四修偏廢，獨修其一的結果。

人生完整，在於快樂完整。四分之一的快樂，等於四分之三的痛苦。切記切記！

人生目的，在追求快樂。人生價值，在追求快樂的過程中，日日有所進步。故，快樂是目的也是過程。

中國思想的基本問題（1994.8.27）

記得以前上錢穆老師課，他說中國沒有哲學家，只有思想家。我想他的意思是說，中國哲學多半為人生哲學。人生哲學，就不是純粹的形上哲學，而是教人如何在現世中生活的想法。因此，錢老師認為，應該稱之為思想。

而我以為，動腦之人終歸是動腦之人。無論集中心力在玄想或是人生，想法都不能說是十分實際。也就是說，中國思想家，也許較比希望入世，但是，他的想法還是不夠實際，不足以應世。不能應世的人，怎麼教人如何在現世中生活呢？代代不能應世之人，教代代人如何應世。中國讀書人之苦，莫此為甚。

中國歷代的主流思想家們，對人生的了悟，不脫二途。一，過一種道德的入世生活。二，過一種隱逸的出世生活。這種二分法的生活觀，我以為和「學而優則士」的中國士人生命模式有關。古代讀書人最正常的命運三步曲是讀書，作官，歸隱。而講道德的入世生活，與隱逸的出世生活，就是讀書人的標準生涯規劃。因此，中國思想，基本上是為讀書人設想，而非為所有人設想。

這裡就有問題了。一種有價值的思想，絕不是為單一階級設想的。如果在人口總數中，一種思想旨在為少數人設想，那它一定不是一種偉大的思想。

人生其實很簡單，不外身體，知識，修養，財富四個問題。這四個問題是人的基本需求，就如同國家需要軍事，學術，政治，經濟四種力量來維持。然而，中國的人生思想家是畸形的，他們不談個人身體與財富；正如國家沒有軍事和經濟一般。他們在現實人生中是獨腳的，根本無法站立。（司馬遷是少數全面談問題之人。他的〈貨殖〉〈遊俠〉〈刺客〉列傳，亦因此遭受罵名）

中國思想主流，在於人生思想。其問題，在於不敢正視人生。

尊敬與尊重（1995.8.8）

尊敬與尊重，現在用起來，似乎沒什麼差別。其實在以前，敬、重二字常連用，分別也不大。例如《論語 / 學而篇》說「君子不重，則不威」，重字就應當作敬字講。然而細分起來，仍有不同。並且其不同，還有層次上的關係。因此便值一談。

尊重，是人與人之間起碼的態度。人在社會，應該對任何人表示尊重。這種態度，是超越身份與年齡的。也即是說，尊重是一種雙向的關係。身份低者尊重身份高者，身份高者也須尊重身份低者。年輕人尊重老人，老人也須尊重年輕人。

尊重這件事，基本上，是西方的態度。是一種與人權，與社會平等觀念同時成長的態度。因此，在傳統中國社會中，比較不講尊重。有許多人到今天，仍然不能瞭解，為什麼身份高、年齡大，還要對後生小輩表示尊重。殊不知人人都有基本的人格權，人人都要相互尊重。

尊敬就不一樣了，尊敬不為人人所能擁有。一個人要獲得他人尊敬，可不簡單。他必須付出極大代價，取得別人的尊敬；並且付出更大代價，來保有別人的尊敬。尊敬極難得到，它和人權平等都沒有關係，而與貢獻有關。一個人能受尊敬，是因為對他人作出了貢獻。因此，尊敬不是雙向的基本人際關係，而是殊榮。

從這個角度看，尊敬是超越身份、年齡的一件事。在傳統的中國社會裡，以為有身份的人與老年的人，應該必然受到尊敬。這種敬老尊賢的態度，自有其作用與價值。不過，我們可以非常確定，沒有貢獻與榮譽相伴的尊敬，經不起時間考驗。

當然了，一個不懂得尊重別人的人，不可能贏得別人尊敬。

後記

我在很多地方，對儒家表示意見。但是，抄錄幾篇小短文後，發現二十幾年前，我對儒家雖有意見，卻始終站在儒家立場講話。這二十幾年來，從一個念兩次博士的呆頭書魚，變成一個「以社會為試驗設備」的邊緣讀書人。其間的思想變化，到底是怎麼樣的鉅大呢？

我在〈形式主義與學術傲慢－談台灣「李敖著作被抄襲事件」的背後問題〉中說「人文社會科學的儀器設備，就是人類的大社會－那個絕對在學院之外的平民百姓大社會。如果人文社會學者安靜的待在學院中，反而是吊詭地遠離了他的儀器設備。一個沒有儀器設備，甚至不願、不敢接觸儀器設備的人文社會學者，能夠對人與社會發現發明什麼呢？」有人善意的告訴我，我這樣說話，等於發表自絕於主流學界的宣言。我很高興有人對我有善意，我也很高興，有人認為這是一種宣言。

三十年前，我上錢穆先生最後一堂課；當時他已九十二歲。那天，他說「同學們，上課到最後，送你們一句話。」他喝了一口茶，慢慢的說「少讀書，少交朋友。你們下課去罷。」他說的輕描淡寫，同學們也就隨即散去。（他的無錫話很難懂。多半同學上課，就是應個卯罷了）我心裡沈重的不得了。

三十歲到美國，四川大學的考古教授童恩正，也到密西根大學（UM）任教。他可以說是我的半個指導教授，常常邀我到他家中喝酒。他是生在四川的湖南人。四川「小麵」和湖南「豉椒」菜色，都是他作給我吃，而得以認識的。美國白酒難得，我們多半喝大玻璃罈子的便宜紅酒。有一次，酒過三巡，菜過二味，（沒有什麼菜）我講錢穆先生的事情給他聽。童恩正張大眼睛，把半杯紅酒一飲而盡，說「我的天啊！」捉著我的臂膀搖晃，說我聽到民國大儒的真心話了。童恩正以為，錢穆最後應該是接受道家了。我繼續跟童恩正說，歷史家都應該有道家氣味，才能夠客觀的看事情。還說，司馬遷也是道家，看看他父親寫的〈論六家要旨〉就可以明白。那天，談到很晚，童恩正跟我，都喝醉了。

每個人的思想，都會隨著時間而變化。這種變化，是非常自然的事情。人如果不變化，不就是不長進了麼？如果一個學者，一輩子思想都不變化；或者，明明變化了，又不敢說出來。那才是奇怪而可議論的事情呢。（無非是要保持權威，以及保持權威所附帶的利益。簡言之，因為對現實名利的貪戀，而不敢改變。最後弄到說一套做一套，並且把說一套做一套的學問，傳之後代）錢穆先生，最後一堂課的最後一句話，讓我吃驚三十年。總想找機會記下來。現在把它放在這裡，也許是一個好機會。

談談工作與休息的問題
（完稿於 2011年8月16日）

工作－從動物的覓食行為說起

人在社會裡，不能不工作，只是工作的原因不同。原因不同，其結果和意義也就不同。粗略的講，人工作，有三種不同的意義。

1 為金錢而工作

大部分的人，為金錢而工作。因為工作而取得生活的物資，是工作的最基本原因。在動物世界裡，動物每天花費很多時間打獵，去獵取維持生命的養分。這種打獵的活動，即是動物的工作；也展示了工作的原始動機－覓食。動物在自然環境中，為了覓食而打獵，人類在人工（社會）環境中，為了覓食而工作。道理一樣。動物獲得獵物－赤裸的生命養分；人類獲得金錢－變相的生命養分。

這種工作的性質，可以說沒有快樂可言。努力的工作，獲得較多金錢；鬆懈的工作，獲得較少金錢。工作是手段，金錢是目的。對某些人而言，金錢提供了虛榮心和安全感。但是，那是金錢的樂趣，而非工作的樂趣。因此，當工作可以獲致相對金錢時，便持續工作；當工作付出與金錢獲致不平衡時，工作就變得無奈而痛苦。也因此，如果能夠不工作，而獲得極大的金錢，這些人不會選擇工作。工作對他們而言，並不是必須的事情。在工作和金錢的交換過程裡，沒有自我的空間。他們，沒有自我。在某些義意上，他們和動物沒有很大差別。

2 為工作而工作

動物只會為了覓食而打獵，不會為打獵而打獵。但是人不如此，有的人會為了工作而工作。為工作而工作的人，並不在意工作的報酬；無論是金錢，還是評價。他們需要工作，他們不能不工作。這種「需要」，是一個值得玩味的事。在「需要」的背後，是一種精神上的不安，甚至恐慌。這種人，是不工作不安心的人，是不工作便慌亂的人。例如：晚上加班不回家的工作狂（workaholic），不能停止做家事的家庭主婦，或者，退休後有好幾份義工的老人。

這種人的工作原因，是靜不下來。悠閒的生活，對他們而言，是難以忍受的痛苦。他們有天生的奴隸性格嗎？不。奴隸工作是強迫的，他們工作是自願的。這種不能悠閒，不肯悠閒的心態，出於自我的存在感。（sense of existential）存在感，讓他們不能活著而無所事事；不工作，便對自己的存在與否感到懷疑。這種辛苦工作的人，看似忙忙碌碌過一生，卻有著較為不為人知的精神需求。他們因為精神「需要」而工作，但是並不能因為工作而快樂。因為，他們不知如何在工作上安排、善用其才智和精神力量。他們是有自我的人，只是不能集中自我，沒有實現自我的目標；徒然浪費了可貴的自我。他們靠著工作，暫時壓抑其自我的慌亂。

3 為創造而工作

人是高等靈長類，是地球上的主宰。人類的體質演進，受制於自然法則。人類的文明演進，則是長時間的創造結果。凡舉對人類文明有貢獻，哪怕是些微的貢獻，都是創造。創造絕不是神的特長，也不是藝術家的特長。創造無所不在。創造不分行業，創造是一種工作性質，也是一種心態。

為創造而工作的人，可以獲致金錢，也可以不獲致金錢。因為，金錢不是重點；創造本身即是收穫，即是滿足。為創造而工作的人，在利己的同時，想到利他。在利己的同時，想到自己是文明的一部分，想到自己是文明繼續向前的推手；哪怕那一推，是如此輕微。

為創造而工作的人，可以不停的工作，也可以悠閒的工作。因為，工作的價值和意義不是量，而是質；不是形式，而是內容。他們有強烈的精神需求，同時找到需求的出口。他們有絕對的存在感，但是不疑惑自己的定位。他們看似庸碌，看似不庸碌，可是心中清楚：在人群裡，他們不普通。雖然，或者孤獨。

人類的文明演進，是長時間的創造結果。為創造而工作的人，是快樂的人。他們的存在，對人類的整體文明有貢獻。他們的小存在，融進了那個大存在裡。他們，為了做有意義的人類一份子，而活著。

休息－談談心靈的過勞　（寫於2007年）

前幾年，我常跟人講我五十歲了。別人都不知道我什麼意思；是表示還年輕，還是準備倚老賣老。事實上，我一點特別的意思也沒有。我只是很平實的告訴別人，五十歲以後真的是不同。無論身體與心理，各方面都和以前不一樣。這種情況，應該即是古人說的「境」。五十歲以後，進入了一種不同的境界。

認識我的人，都說我有很火爆的一部分；但是平時看起來，又有一種慢條斯理的感覺。但是我知道，我這幾十年來，常處於精神緊繃的狀態之下。這種情況，我也很清楚，是因為我腦子不能停，喜歡想事情。

愛想事是知識份子的通病。長時間地，接受了那麼多的資料，腦子很自然的就會把這些資料組織結構起來。然後，又因為不滿意，或者出於好奇，把它們解散開，再以不同的方式結構起來。這種活動我已經有三十年的經驗了。三十年來，我都是這樣過日子。我周圍的人，也在情願與不情願的情況下，陪我這樣過日子。

這種日子看起來並沒有什麼不好。但是，在不停結構與解構的活動裡，精神很是緊張。它並不是與現實發生關係的，所謂工作壓力。而是完全自找的，無意識而不能控制的精神活動。這種日子並不好過，我相信很多有精神疾病甚至自殺的文化人物，並不是因為生活壓力所迫，而是受困於這種永不停止的精神活動。（這些受精神疾病所苦或甚自殺的心靈工作者，為數真是不少。隨便一想，便有尼采、愛倫坡、梵谷、傑克倫敦、海明威、芥川龍之介、三島由紀夫等等）他們在結構與解構，喜悅與惶恐的可怕落差交替之下，不斷重複著情緒崩潰之苦。因此，我常常跟別人講：可怕的不是地獄，可怕的是輪迴。（地獄是佛教六道輪迴中最下層、最苦的一道。而輪迴 samsara，是指在六道－天、人、阿修羅、畜牲、鬼、地獄中升降不已的境界落差。我認為在禪宗六道代表六種情緒的解釋下，落差之苦，要苦於境界之苦）

我有一兩次感覺要發瘋的經驗，但是我沒有過自殺的念頭。這件事情，可能和我三十五歲皈依佛教有關係。因為佛教禪宗的修行觀念，讓我有繼續堅持下去的動機和動力。不過禪宗對我而言，也是有利有弊的。因為禪宗又是一個要不斷思索，不斷結構解構的東西。它的確給了我一些清涼，但是它也更加重了我的精神負擔與腦力活動。並且，修行的觀念，就是要人承認自己還不夠好。對愛用腦的人來講，它更為確定了必須不斷在精神上結構與解構的合理性。禪宗的修行觀念是一種完美主義；它給繁重的精神活動，找了一個輕飄飄的神聖理由。

五十歲以後，應該是過了一個中國人所說的關口。我慢慢的體會到，人的身體確是分為身心兩部份，而並不統一。身體部份，會因為勞累而顯出異樣。這種異樣很明顯－讓我們知道自己累了。累了就要休息，休息之後，身體便會恢復正常。而心靈部份也是如此，因為過分的使用，超過它負荷的使用，它也會顯出異樣。那種異樣就是煩惱、不安、焦躁等等現象。但是，我們很少認為那是心靈發出的疲勞警訊。我們總是在最煩惱、最不安與最焦躁的時候繼續想問題；奢望過勞的心靈能夠擠出最後的幾滴智慧汁液。或者，壓抑這種心靈警訊，認為警訊出現，表示了自我控制的能力不夠；所謂的修養不好！前者使得心靈更加過勞，而導致精神方面更大的問題。後者則偏離了問題所在，讓急需休息的心靈，額外又承受了道德上的負擔。

這種不知道心靈勞累了需要休息的情況，似乎很好笑，很莫名奇妙；因為它太簡單，太屬於基本常識層次。但是我認為，它就是前述心靈工作者之所以得了精神疾病－甚至自殺的主要原因。換句話講，他們冤枉而沒有常識的，毀滅了他們自己；也停止了繼續貢獻心力的機會。

知道自己累了真好。無論身體還是心靈，累了就要休息；休息夠了就會恢復正常。這樣簡單的事情，我到了五十歲以後才知道。

我跟李敖的忘年交往
（完稿於 2011年2月2日）

我出生在50年代的台灣。那個年代出生的人，對李敖不會陌生。甚至很多人都是看李敖書長大的。但是，話雖如此。台灣知識、文化界談李敖的人卻不多；很少人說他不好，也很少人說他好。因為大家都怕他，不敢沾惹他；說他是兇悍難纏的傢伙。據聞近百年前，美國著名專欄作家約翰根室（John Gunther）在《亞洲內幕》*Inside Asia* 裡表示，上海杜月笙是「當代亞洲引人注目的猛漢，中國最有趣的人

物。」李敖的形象，或即亦是如此。只是，杜月笙是「惡霸」，而李敖則自稱「善霸」。作為「善霸」，而令人害怕，真是奇妙無比。以「猛漢」與「有趣人物」而言，恐怕李敖比杜月笙不遑多讓。

寫李敖很困難。因為李敖涉及的事務面向太多，而難以定位。但是我非常想寫李敖。在《三論馬英九》那本兩萬字小冊子中我說過，「今天在台灣，我最感興趣的兩個人物是馬英九與李敖。他們是台灣最有特色，最有歷史典型意味的兩個人。」（兩種完全相反概念下的「文」人）最後，我決定先寫我和李敖的交往。這種寫法，可以讓我把這個極度複雜的人，從頭整理一下。對我以後想寫的題目（李敖的學術和文化地位）也許有幫助。

我和李敖初次見面，是我三、四十歲時候。約了去拜訪他。到他家門口，按門鈴；他打開門，吃驚的說道「你怎麼和摔角選手一樣巨大！」那時候，我的確很「巨大」；有九十六、七公斤。這是我和李敖的第一句話，也就是這麼一句玩笑話，我和李敖的關係始終輕鬆，什麼都可以談；雖然我們相差了近二十歲。老中國人講輩分，對於年齡懸殊的人作朋友，有特別的稱呼；稱作「忘年交」。我和李敖，應該就是這樣。

李敖號稱，他是台灣少數寫作發財的人；男的是李敖，女的是瓊瑤。這句話是不為過的。李敖很有錢，他在台北有七、八棟房子，都在好地點。其中一處在陽明山上，整座陽明山，好像他的大花園一樣。正因為他的房子多，他可以很神秘－他戲稱自己是「狡兔」。至於他的交通問題，印象裡，他是開著 Mercedes-Benz 的，也就是德國的「奔馳」。至於年紀大了以後，還自己開車否，我就不知道了。我知道的，是近二十年前的事情。

李敖說他有潔癖，這話也不假。他家可說一塵不染；永遠不開窗，冬夏都以空調處理溫度濕度。他不抽煙不喝酒，不喝咖啡不喝茶；只喝白開水。（六十多以後，才開始早上喝一杯咖啡）他不打牌，不應酬，也不參加紅白喜事。過著清教徒一樣的日子。但是李敖很注重自己的健康，他吃一些銀杏類的保養品；為了保護他的腦子。我跟他說過喜歡禪宗－很科學很簡單。李敖說「禪宗還是不夠簡單。我出去跑一跑，洗個澡，結果是一樣的。」（他說得沒有錯。之後，我對心物問題的解釋，也開始由印度傾向中國）李敖就是這樣生活簡單（甚至簡化）的人。所以，我去他家，只有白開水喝。有一次破例請我吃飯，吃的是清湯涮牛肉鍋。牛肉很高級，但是味道淡薄。

李敖的藏書，是一種景觀。他有很多書，有條不紊的放在木頭書架上，像是一個圖書館。放不下的，就整齊地堆在房子中間；書堆之間，僅容過道。所謂「四壁圖書」並不足以形容李敖的家，因為除了「書牆」以外，還有「書城」。但是，李敖的書並不分類。別人完全不能從書架上找到想看的書。李敖說他這樣作，可以防止別人跟他借書。至於哪本書在哪裡，他說他通通記得。

跟李敖說話很有趣，但是要腦子快，跟得上。如果抱著求知態度，一定有收穫。他跟我說過君子小人問題。他說偽君子固然多，假小人也多－看似厲害，到了緊要關頭硬不起來。（所以，他常說誰誰玩假的）他有「打擊魔鬼」理論，認為偽君子、假小人都是魔鬼，必須嚴厲打擊！然而偽君子和假小人像蟑螂般令人噁心。大家不願意出手，怕弄髒了手，犯不著。可是，如果誰敢出手，就會發現那個小蟲子很是軟弱，一巴掌就能把它打爛。

李敖「打擊魔鬼」很厲害；除了口誅筆伐外，還跟人對簿公堂。（李敖台灣大學歷史系畢業，但是大一念的是法律，所以對法律熟悉）他曾經「邀請」我去看他打官司。他表示，他除了和對造打官司，還和法官打官司。他對各堂法官的底細，都摸的清清楚楚。他上堂先客氣的跟法官問好，把法官受過質疑的案子，一一倒背如流；搞到法官出冷汗。然後，他再談他的官司。你說這個官司怎麼打？他和蔣介石的秘書秦孝儀打官司，更是令人絕倒。秦有身份，法官對他很客氣。李敖立刻抗議，說根據哪款哪條，法官一定要問當事人有沒有犯過罪？有沒有犯罪紀錄？搞到法官和秦都出冷汗。最後，法官還是依了李敖問秦有沒有犯過罪。有身份沒有用，遇到李敖還是灰頭土臉。這就是李敖的作風；他不斷與人衝突，絕對敢「說大人則藐之，勿視其巍巍然。」但是他不生氣，不變臉。永遠笑嘻嘻，談笑用兵。大家都認為李敖厲害，但是忽略了他的幽默。幽默是李敖的大本領，是他的重要世間法。話說回來，幽默可不容易，幽默不是中國人的特長。

除了幽默之外，李敖是非常有情義的人。說有情義而不隨俗的說講「義氣」，是因為李敖的義氣建立在感情上。他不是個活菩薩，有求必應。他也不認為天下不義的事情，都要他來解決、伸張。他可以出手相助，條件是，你必須是他的朋友。事實上，義氣也就是這麼回事。義氣本來就是感情的強烈延伸。一般人所謂的義理、公義那種訴諸理性的事情，和義氣沒有什麼關係。是的。李敖是非常有義氣的人，非常有感情的人。

2006年，台灣倒扁，鬧紅衫軍。十月十號，把總統府圍得水泄不通，要陳水扁下台。這個運動是自發性的，任何人都可以參加。我有一個學生，在高中當教官。他老兄下班後穿著軍服就去了。結果媒體大大做文章，作為軍方倒戈的樣本。這下可好，國防部也要追查，教育部也要追查。當時作教育部長的杜正勝，更是替國防部發言，表示一定嚴辦，至少關他個七年。有幾個學生跟我講這個事情。我說好，我來想辦法。我想到什麼辦法呢？我想到李敖在立法院作立法委員，屬國防委員會，是國防部的「婆婆」。（當年的十月二十五號，即發生李敖在立法院國防委員會噴瓦斯事件）我就去立法院找他。他那天感冒，還在辦公室裡吊著點滴。他跟我說了半天別的事；問我是不是賣了四幅張大千給林百里啊？是不是還主持台北市孫文學會啊？又說他年紀大了，腳冷。我說腳冷的原因，是因為小腿血液不暢，小腿不冷腳就不冷。他也支支吾吾，不置可否。好像談話總切不進主題。最後，他推著點滴出去，說要開會啦。臨出門留下一句話，「那個小朋友，還是回到軍隊裡好，軍隊會保護他。」

過了一個星期，媒體上就出現消息。那個教官被調離學校，回到部隊裡去。處罰的事情，也不提了。國防部和教育部，也沒有聲音了。至於李敖怎麼和人家談條件，沒有人知道。李敖，也不提他救了那個教官的事。至於我，怎麼替那個學生謝李敖呢？我是個中間撮合的人，這事總要我來面對。結果，我想到古人說的「大恩不言謝」；救命之恩難以對價回報。他不是為腳冷所苦嗎？我就去好好給他選了一副毛線襪套。套在小腿上，對於腳冷會有幫助。希望他可以解決這個問題；在身體上，得到一些溫暖。

李敖有學問，是個人物。但是他和學術界、學院派總是犯衝。他瞧不起學術、學院的冬烘。此道中人怕挨罵，對他也敬而遠之。弄到最後，李敖這個有學問的人，竟然變得似乎與學術無關了。我在大學講一門「中國歷史人物」，曾經請李敖來作一次演說。學校對此事有意見，表示沒有經費，要來請勿大張旗鼓，鐘點費自付云云。事後，我包了個紅包給李敖。李敖說他的價碼很高，但是他不受我的錢。然後，非常展轉、委婉的表示，他很喜歡我父親的字，但是不好意思開口。是不是可以等「很多年」以後，我母親不管事的時候，給他一方我父親的圖章？以了心願。（父親以九十高齡過世後，家中一切均由母親管理）這樣客氣的說法，我不能招架；自然也很受用。便立刻回家跟母親商量。母親說，李敖這樣有心，她要親自替他找一方合適的。結果，她找出一方我父親的閒章，印文為「孤嘯」。認為與李敖的為人處世、人生觀念都很貼切。並且要我轉告李敖，閒章是個人用印，不送人的。但是李敖在我父親去世後，還這樣重視他，她很感動，就請李敖替她保存這方印吧。（我父親的閒章，應該有一、兩百方。除了一方在李敖處外，其他都保存完整）這種老輩人物的客氣來往，我看在眼裡，有一點感慨。對一個世代的過去，也有一點感慨。

就我的觀察，李敖這個人，是很正常的。不但正常，還比一般人更正常一點。他努力奮鬥，追求入世的名利。但是他的生活儉樸，精神要求遠大於物質要求－過著出世者般的生活。他非常專業，在他的專業領域裡，比絕大多數有專業頭銜的人（博士、教授）還要專業。他的修養很好，有中國人難得的幽默感。同時，他還有情有義－只是他絕對不浪費他的情義。這樣的人，怎麼會有爭議性呢？怎麼會成為兇悍難纏，讓人畏懼的傢伙呢？這個問題，解釋起來也簡單。人的行為，由思想主導。李敖有一種思想，並且極端地捍衛其思想。他要照著他的思想過活，絕不讓自己的思想打折扣。他是一個能夠「忠實表現自我」（李小龍先生座右）的傢伙。他的爭議性和兇悍難纏，都是由於他的思想而起。那種思想，說實在並不稀奇；兩千多年前就很普遍。只是漢代獨尊儒術以後，該思想就不流行，就遭到泯滅了。這就是我在《三論馬英九》中，把李敖和馬英九作比對的原因；李敖是先秦定義下的「文」人，馬英九是漢代以後定義下的「文」人。（前者，與「武」並駕齊驅，令韓非子戒慎恐懼。後者，合於溫良恭儉讓標準－今天所謂的文化人是也）

我想寫篇輕鬆的回憶式文字，結果，最後還是以古、今「文」人的嚴肅話題結束。除去整理自己的思緒以外，我也盼望這樣的寫法有點拋磚引玉作用：在李敖的嬉笑怒罵背後，讓大家試著想想他在文化層次上的意義。這個以兇悍出名的有趣人物，應該在中國近代文化史上，有一席之地。

形式主義與學術傲慢
－談台灣「李敖著作被抄襲事件」
的背後問題

（完稿於 2010年11月28日）

楔子－「砥柱」盧建榮

前些日子，從友人盧建榮處得到他主編的《社會 / 文化史集刊》第五期。該期是一個專號；其中〈專論〉部分有四篇文章（包括專號序與社論）講述專號的主題－學術界的抄襲問題，共達 114 頁。在雜誌後的〈編輯室手記〉中，繼之以 7 頁篇幅，談論抄襲問題。甚至在〈徵稿啟事〉部分，尚語重心長的說明其出版動機與心情。雜誌的主編盧建榮是值得佩服的，他痛恨學術界的抄襲行為，說了別人不敢說的話。古人說「中流砥柱」，這「砥柱」二字，或者足以形容盧氏矣。

該專號，披露了學術界抄襲與進而得名得利的內幕。其中，令人詫異的有兩件事：第一，抄襲者，是任職研究單位與大學的高級學者。第二，被抄襲的對象，竟然是台灣文化界以兇狠難纏出名的李敖先生；並且，被多人多次的抄襲，抄襲的篇數竟達十餘篇。

當然，《社會／文化史集刊》第五期的出現，讓大家對學術界投以異色眼光。但是，大家更好奇的，應該是「為什麼敢抄李敖」？若說李敖文章有新見地而抄，則或可理解。若說輕視李敖而「敢」抄，則不可理解。因為李敖在台灣幾十年的行事作風，不是一般人「敢」於輕視的。因此，這個事件中，我對這個「敢」字最有興趣。也就針對這個「敢」字，說說我想說的話。

學術作品的形式問題

學術界「敢」抄李敖的作品，「敢」在學術活動上輕視李敖。在此「敢」字的背後，是一種學術的傲慢，和支持這種傲慢的形式主義。因為，他們覺得李敖不是學術界的人物，他們覺得李敖的作品沒有學術形式。

怎麼說呢？原來學術界認為，他們掌握了一些形式。一種別人不能夠隨意跨過的形式，即所謂學術形式。學術形式，說來簡單；可以大概的舉其重點，分述如下：

1　學術性的語言

所謂學術性語言，是一種半白話，半文言，但是絕對咬文嚼字，賣弄不中不西文法的語言。這種語言，可以把學術界和非學術界的人與作品截然劃分。這種語言可以把簡單容易弄明白的事，講得很不容易明白；以顯得其人有學問，以顯得其作品有學術價值。（讓人弄不懂的東西，常常被人誤會為高深；而高深的東西，又常常被人和價值畫上等號）我對這個問題，曾經有這樣的說法：

一般學者把文字弄得很難懂，我以為有幾個原因：第一，賣

> 弄。我曾經親耳聽到一位學者說「我不這樣寫，你們怎麼知道我有學問？」第二，受到英文文法的影響。中國在二十世紀初期，推行白話文運動。講話和寫作的文法不相同，也並不是只有中國如此。推行白話文，是希望將講和寫的文法合而為一，將文法與語法合而為一；這樣文化和教育的推行便能更快速有效。然而，當英文（或其他外國語文）在中國流行以後，中文文法普遍受到外文文法影響。這種混合了中外文文法與語法的文字，我稱之為「新文言」。那不是能夠為所有人了解的文字，對於一般人而言，它和中國的文言文一樣難懂。第三，把溝通本身看成了一種創作。很多學者有這個問題，文字對於他們而言，不是溝通工具，而是創作；他把思考當成創作，把寫作也當成創作。這種態度的分寸很難拿捏；可能很有可讀性，也可能讓人不忍卒讀。
>
> 在學術研究上，無論什麼理由使得文字難懂，都要避免。道理儘管深奧，文字必須淺顯；深入淺出、雅俗共賞才是學術文字的最高境界。
>
> 學術已經是少數人的事情了，何必在文字上弄得艱澀，而令人更為望之卻步呢。

李敖是寫白話的作者。白話，是通俗的語言，不是學術的語言。所以，學術界認為用白話寫的簡單易懂作品，不是學術作品。這種自認為語言與人不同，並且以之定義學術的態度，是一種學術的傲慢；並且因為其傲慢，而對李敖犯下道德甚至法律上的錯誤。

2 學術性的格式

所謂學術性格式，基本上，即是註明資料出處的寫作格式。這種寫作格式見仁見智，每個時代、地區、學門都有不同的寫作格式。其實，重點並不是寫作格式，而是藉由寫作格式來註明資料出處；因為不註明資料出處，就有抄襲他人作品的嫌疑。但是，學術界最喜歡把寫作格式視為一種學術上的方法論。（寫作格式是寫作形式，學術方法是研究的方向和角度，怎麼會是一回事呢？）並且以寫作格式來區分學術作品與非學術作品。我對這個事情，長時間以為亟待商榷，並且提出過如下的看法：

> 我認為寫作沒有形式，形式和形式主義之間的界線很容易不小心跨過；我很不喜歡形式主義。
>
> 學術講究固定形式嗎？學術不講究固定形式，學院才講究固定形式；這裡又回到前面的學術與學院的問題了。如果說學術研究要求什麼形式，我寧可說學術要求講理講得明白。學者能夠把話講得明白，是一種重要的表達形式；這種表達形式倒是學者需要堅持的一種形式。但是，學界一般所講的形式不是這種形式，而是寫作格式。
>
> 學術寫作有固定的格式嗎？一種好的學術見解，可以因為寫作格式的特殊，而受到輕視嗎？一種很不好的學術見解，可以因為寫作格式的合乎標準，而受到重視嗎？寫作格式不是評定學術的標準，而是學院的圍籬；用以區分、保護學院學者的圍籬；是不讓人隨意進出象牙之塔的圍籬。
>
> 寫作格式建立的原始目的，是為了有效的把話講清楚。因為清楚的表達思想，是學者的本領和工作。在這種立意之下，寫作格式當然有其存在必要。也因此，所謂學術格式，絕對不是一種特定的格式；能夠清楚講理的格式，都是可以被接受的學術

> 格式。如果僅認定一種特定的格式才是學術格式，同時以之作為畫地自限、區分派別甚至相互攻擊的武器。那麼所謂的學術寫作格式，就是單純的、無聊的形式主義問題了。

李敖的作品，不講究所謂學術的寫作格式。他有自己的格式，有讀者看起來最方便、最清楚的格式。並且，以李敖的行事作風，我認為他也看不起那種學術寫作格式；好像只要具備那種格式，便是學術論文，便有學術價值。在前述「認定一種特定的格式才是學術格式，同時以之作為畫地自限、區分派別甚至相互攻擊的武器。」情況下，學術界認定李敖的作品不具學術寫作格式，因此不是學術作品。這是另一種學術的傲慢；並且也因為傲慢，再度對李敖犯下道德甚至法律上的錯誤。

這兩種學術形式－學術語言和寫作格式，是學術之所以傲慢的重要原因；是劃分學術與非學術作品的法寶。李敖作品的被抄襲，是因為學術界祭出了這兩樣法寶。在這兩樣法寶的檢驗下，李敖的作品成了非學術作品。非學術作品，供學術人士參考、取材、拼湊而成為學術作品，豈非理所當然？在形式主義造成的傲慢之下，李敖的作品被抄襲，被傲慢地抄襲。

關於學者與學院問題

前面數次提到「學術形式」、「學術語言」和「學術格式」。這些學術上的種種（形式）是什麼人制定的呢？這些形式，就是學術界的主流－學院（研究機構與大學）制定的。李敖作品被抄襲事件，說穿了，就是學術界中的學院學者抄襲院外學者。它和一般的學術抄襲不大一樣；不僅是單純的文字剽竊，還有極為保守的錯誤觀念在背後作崇。剽竊者非但輕視李敖作品，也輕視李敖；因為，學院學者基本上輕視院外學者。因為學院學者以為：「學院等於學術」或者「學術等於學院」。也就是說，學院之外沒有學術，學院之外也沒有學者。這種觀念非但造成一種不公，也阻礙了真正學術的發展和進步。我在十餘年前的一本論著序文中說過：

> 學術等於了學院，在觀念上是一個可怕的事。學術不但被學院包辦，並且學院外的學術，因為沒有學院保護，便得不到正當地位。
>
> 所以，一般人總以為有學院背景的人，就都有學術。而有學院背景的人，也總以為學院之外的學者，都是野狐禪。…若是學術學院二者同義，思考的方向方法就固定了。學術就失去自主地位，失去活潑內容，而僅僅留下了空洞形式。

這裡，我便要對學者、學術和學院，再說說我的意見；把我以前的意思講得更清楚一點。

一般人說到學者或者學院時候，常常有兩極的看法。一，佩服得不得了：認為學者是高級知識份子，學院是學術殿堂。二，抱持懷疑眼光：認為學者是書呆子，學院是象牙塔（ivory tower）。這兩種看法，其實並不衝突，也沒有什麼模糊地帶。前者，是對於自然科學的看法。自然科學，是了解人類週遭物質環境的學問。這種與真理（truth）同義的學問，代表人類控制與征服自然的力量；它可以讓人類幸福，也可以讓人類毀滅。這種學者，當然受重視；這種知識，當然受重視。同時，近代的自然科學研究，必須借重昂貴的儀器設備以進行實驗。這些昂貴的儀器設備，只有學院（研究機構與大學）有能力購置。因此，學院絕對是上述控制與征服自然力量的產生場所。自然科學的學者不能夠離開學院而單獨存在。他們必須依附學院，依附學院所擁有的儀器設備，依附學院所擁有的購置儀器設備之龐大經費。這種情況下，說學術等於學院，並沒有很大的問題。因為離開了學院，自然科學的學術研究，根本無法進行。

但是學者和學院，為什麼又被看成是書呆子和象牙塔呢？那是因為除了自然科學外，學術的領域中還有人文社會科學。人文社會科學是「人類了解人類」的學問。這種學問沒有固定的答案，總是如瞎子摸象般的找尋真理－但是總也找不到什麼真理。它不代表人類對自然的征服，反而代表人類對自身的迷惑。它的理論與闡述，很少能實際上的解決人類問題，而多是「書面上的」解釋人類問題。哲學家培根說「知識即是力量」；但是人文社會學者，多未能真正掌握力量；其學術，也多未能真正表現出力量。再者，這種研究，也不需要昂貴的儀器設備。學院僅需提供一個與世無爭的安靜場所，讓學者思考問題。（或者抄錄前人故紙）這裡就說到「學院等於學術」與「學術等於學院」的不妥處了：自然科學需要學院提供儀器設備，以利研究。但是人文社會科學的「儀器設備」，就是人類的大社會－那個絕對在學院之外的平民百姓大社會。如果人文社會學者安靜的待在學院中，反而是吊詭地遠離了他的「儀器設備」。一個沒有「儀器設備」，甚至不願、不敢接觸「儀器設備」的人文社會學者，能夠對人與社會發現發明什麼呢？能夠對於人與社會了解多少呢？這就是書呆子和象牙塔說法的由來。

更為嚴重的是，這個象牙塔本身，即是最傲慢、最形式主義的場所。因為，它並不分辨學院內、外人士是「內行或外行」，（有沒有學術成就）而只判斷學院內、外人士是「行內或行外」。（有沒有學者身分）這種非學術的行政判斷，是學院最大的武器。是學院學術形式主義與傲慢的根與本。它建立起一道不能跨越的行政階級。這種階級，不由學者的努力與成就建立，而由行政上一紙公文，一張聘書決定。原來，學院學術不是獨立的學術，是受學院組織行政操控的學術。

李敖講究獨立的學術。他不在乎那紙公文，那張聘書，那個形式。因此，在學院「行內與行外」的判斷下，他不但作品被輕視，他這個人也被輕視。即便李敖是一個「內行的行外人」，他並不被學院派視為學者；非學者的作品，自然更是絕非學術作品。在這種簡單的行政劃分，與粗糙的邏輯推演下，李敖的作品被抄襲，被傲慢而理直氣壯的抄襲。

結語－李敖史學地位的建立

李敖作品被抄襲，是一個事件，也是一個現象。這個現象，反映了學術上的形式主義當道；也負面的反映了因為控制學術形式，學院學者如何傲慢的輕視院外學者。然而，凡事皆有正反兩面。這個事件揭露了學院學者的可議心態，也側面的肯定了李敖在史學上的地位和貢獻。李敖是什麼人呢？我想任何人回答這個問題，都要遲疑一下。因為李敖涉及的事務層面太多，而難以定位。一般人，大約對李敖愛打官司和愛談政治最有印象，而忽略了李敖是史學出身，他也是一個史學家。這個抄襲事件的抄襲者，都是高級研究機構與大學中的史學學者。他們的作法毫無道德與法治觀念，傷害了李敖。可是，以他們的地位抄襲李敖，卻又大大地彰顯了李敖的史學作品價值，肯定了李敖的史學地位。對李敖而言，這是「失之東隅，收之桑榆」的人生插曲。作為二十多年的忘年之友，在替李敖生氣之際，不免又替他高興起來。人生之事，本即如此。

相與象－淺談中印思想的原始區別

（完稿於 2011年4月6日）

印度佛教，對中國影響很大。甚至可以說，近兩千年來，中國的主流思想，除了官方儒教（家）模式外，就以佛教模式最為重要。（中國還有原創的道家，但是早已相當儒教化；成為儒家「天下有道則見，無道則隱」的思想延伸。中國還有原創的道教，但是早已相當佛教化；佛菩薩造像，普遍的在道觀裡面出現）本文題目中所謂的印度思想，也就是指佛教思想；雖然今天在印度，佛教與佛教思想，早就已經式微。

佛教思想，總給人比較虛無空洞的感覺。所謂的虛無空洞，其實就是不入世；它不講求獲得現世的種種，反而講求迴避現世的種種。如果把這種思想作為個人生活指南，則個人就顯得虛無空洞。如果把這種思想作為社會、國家的思想基調，則那個社會、國家就顯得虛無空洞。

佛教之所以迴避現世種種，在於它的創始者釋迦牟尼是一個印度王子，是一個現世種種都已具足的人。他對於「完全擁有」這件事情，感到疑惑，（或者說感到虛無，感到沒有意義）而開始了他追求「完全不擁有」的生命歷程。那個「完全不擁有」也就是佛教說的

「捨」；把現世已有的捨去。至於現世還未有的，自然更要全然迴避。這個思想對不對，很是難說。不過，一個什麼都有的人「捨」，和一個什麼都沒有的人「捨」，應該很不一樣。畢竟，一般人並沒有那個印度王子「完全擁有」的優越條件與稀有經驗。

佛教講究「因緣說法」，也就是根據說法對象的程度，（根器）而以不同的方式教誨之。因此，佛教經典真是浩如煙海，而所講的道理也不完全相同。這和基督教只有一部《聖經》的情況，很不一樣。雖然佛教依照對象身份，而作不同的演示，可是「捨」的精神與態度，總是類似。佛教為什麼要「捨」呢？一個「相」字幾乎可以完全說得明白。原來，「相」是佛教對人生種種的基本解釋，而「捨」是佛教對人生種種的基本態度。在佛教而言，「相」與「捨」，幾乎有一種因果上的關係：對「相」的認知，引發「捨」的行為；「相」是理論，「捨」是實踐。任何思想上的事情，都是認知引發行為，理論指導實踐。因此，要了解佛教之所以「捨」，之所以不入世，必須了解佛教對於「相」字的看法。

「相」是什麼呢？，「相」即是可以感覺到的一切事物。簡單的說，「相」是透過「眼、耳、鼻、舌、身、意」，而感覺到的「色、聲、香、味、觸、法」。換句話講，一切可感可知的事物，都可以叫做「相」。這個世界的存在，便是由我們所感所知的各種「相」所構成。在佛教而言，「相」和這個世界，可以說等義。

但是佛教輕視「相」，認為「相」不真實。例如《金剛經》說「凡所有相，皆是虛妄」。《心經》說「諸法空相」。《法寶壇經》裡，禪宗六祖慧能更是直指「無相為體」；以「無相」做為重要的一種修行指標。（所謂「無念為宗，無相為體，無住為本」）並且推而演之：以為受「相」所惑，是人生煩惱痛苦的緣起。

佛教輕視「相」，原因在於對時間的無奈。（進而以為沒有意義）佛教認為，時間不停流逝，世界不停變化，「相」也隨之不停變化；所以，「相」必然短暫而不長久。在不長久即不真實的特殊認知下，「相」受到輕視與排斥，我們所感所知的世界也受到輕視與排斥。受到輕視與排斥的東西，自然不值得擁有，更遑論獲取。所以佛教要將它們捨去；把「相」捨去，也把這個世界捨去。這是佛教由解「相」而行「捨」的邏輯關係，佛教不入世的理論基礎。時間，是個大關鍵。

然而深入的講，「相」實有兩義。客觀的物質世界是「相」，（「色、聲、香、味、觸、法」）主觀的感覺世界也是「相」。（「眼、耳、鼻、舌、身、意」）外在世界固然都是「相」，這個感受外在世界的「感受器」，也同樣是個「相」。物質世界不長久，感官世界更不長久。因此，佛教否定客觀物質世界的同時，也否定了主觀的感覺世界。這種客觀、主觀兩相否定的情況，讓佛教不但不入世，並且虛無空洞起來，因為，「我」這個「感受器」也被否定；「我」也成了必須捨去的對象。客觀存在沒有意義，主觀感知也沒有意義；這個物、我兩無意義的世界，真是不值得留戀了。

中國自漢代以來，儒教為官方的主軸思想。其他思想，相對也變的多少有些儒教氣味。秦漢之前，則是思想的自由時期；先秦諸子著書立說，各自表態。然而，無論漢前漢後，思想界對於中國最古老的一本書，卻都沒有什麼異議。（甚至爭相攀附，以為其思想立論之依據）那本老書，就是《易經》。

《易經》的思想不強勢，但是也不弱勢。一句「天行健，君子以自強不息」，最能代表《易經》精神－效法自然，不停止努力。既然「自強不息」，當然務實入世；而不可能虛無出世。作為一個源頭，《易經》對中國後來的各家思想都有影響。因此，相較於印度，中國給人現實入世的形象。

相傳《易經》為西周文王所作。它的成書時間，要較諸子為早。重要的是，《易經》並不像後來的思想家，主觀熱情地教育大家，如何做人、如何施政、如何改革社會。而是客觀冷靜地，陳述世間各種變化通則與其邏輯關係。《易經》和諸子的不同，應該和其作者身份有關。文王是個領袖群倫的一方之長。（西伯）他不是學者，而是一個政治上的亂世民族領袖。（周民族）文王要面對的事情很多：子民的仰望期待、敵人的潛在壓力，還有自己的壯志雄心。他的心態，應該如《詩經》的名句「戰戰兢兢，如臨深淵，如履薄冰」一般。他與他的民族，有可能建立新國家，也有可能徹底被毀滅。這種絕對的「有」與「無」，不涉及抽象思考，而是極為現實殘酷的生存問題。孔子說「作《易》者，其有憂患乎？」就是這個意思。文王的「戰戰兢兢」，和那個印度王子的「完全擁有」，有著天壤之別。

有趣的是，這個臨淵履薄的政治人物，所關心的事情和諸佛經典相同，《易經》也是一部談「相」的書。不過它用了「象」字而非「相」字。「象」與「相」意義相近，而聲音相同。（「相」與「象」幾乎相通。習慣上，「相」似乎較具象，「象」似乎較抽象）《易經》由六十四卦和三百八十四爻組成。孔子說：「《易》者象也。象也者像也」。表示《易》是專門研究「象」的書；以「象」來象徵世間的萬千現象。（卦是大的「象」，爻是小的「象」）然而，《易經》絕非單純羅列種種大「象」小「象」而已，它把「象」與「象」之間的變化，邏輯的連結起來。換言之，《易經》不但用卦「象」、爻「象」來象徵世間現象，更用卦「象」、爻「象」來象徵世間現象間的變化。說到變化，就又說到了時間。變化，只能由時間造成。

佛教以「相」來解釋這個可感可知的世界。《易經》同樣以「象」來解釋這個可感可知的世界。然而佛教輕視排斥「相」。對於時間流逝、「相」的變化，無奈而不以為有意義。因此全盤否定「相」，認為「相」是雲煙過眼，根本就不真實。這種想法，導致佛教走上出世的路子。但是，《易經》對於時間的認知很不一樣。《易經》認為「象」非但不虛無，而且真實無比。對於時間的流逝，《易經》既無暇無奈，也無暇作哲學上的思考。因為現實環境中的任何剎那，都可能決定存亡生死。所以，《易經》不輕視排斥「象」，不對「象」起無謂的傷感。而是隨時謹慎嚴肅的面對時間；觀察「象」的意義，觀察「象」的變化，以求對「象」作出因應之道。也因為如此謹慎嚴肅的面對人生，《易經》不認為「象」有真實與否的問題；無論大「象」小「象」，既然存在，必有意義。（中國成語「見微知著」、「一葉知秋」，就是講小「象」甚至微「象」的重要性）至於時間造成「象」的久暫，也不是個問題。因為分分秒秒，都可能是影響人生的變化關鍵。這個可感可知的世界，有什麼可以忽視？可以迴避？可以輕易「捨」去？這種想法，讓《易經》帶著中國文化，走上務實謹慎的路子。這條路，基本上非常入世。

孔子說「作《易》者，其有憂患乎？」怕是把文王說的過於感性。過於感性的人，大概成不了政治領袖。以商末周初的大環境而言，文王應該長時間處於「準戰爭」狀態中。一個處於準戰爭狀態中的政治領袖，和一個處於玄思冥想狀態中的悠閒王子，對這個可感可知的世界，不會有相同的觀察和體會。文王對「象」、時間的態度，或是中國智慧的開始。釋迦牟尼對「相」、時間的態度，或是印度智慧的開始。文明文化的問題，是非優劣很難講。只能說中、印兩民族之思想，從一開始，就走著不一樣的路罷了。

我的憂慮－說說「文」的原始與演義

（完稿於 2015年6月4日）

楔子

號稱禮義之邦的中國，在世界其他民族眼裡，是一個很「文」的國家。這種形象，長時間瀰漫於國際之間。（透過政治經濟軍事交流，或者，透過文化藝術學術交流）話雖如此，我們自認為「文」，與其他民族認為我們「文」，恐怕在各自理解上，並不是相同概念。我們認為「文」有絕對正面的內涵，其他民族，恐怕並不如此想像。我對這件事，始終憂慮。我認為中國的未來，和我的憂慮關係密切。

中國怎麼會這麼「文」呢？從歷史上看來，中國的「文」，並不是民族基因問題，而是被古代政治家設計成這樣的。甚至「文」這個字的意義，都不是原始樣貌了。

「文」的原始意義

《易經》稱為群經之首，是中國最早的一本書，相傳為西周文王所作。其中的〈革卦〉，是著名一卦。〈革卦〉說明了改革的重要和危險，並以商湯推翻夏桀王朝作為例子。那句有名的「（湯武革命）順乎天而應乎人。」就出於〈革卦〉。文的早期定義，在〈革卦〉中有清楚的敘述。該卦的第五爻（九五），象曰「大人虎變，其文炳也」。第六爻（上六），象曰「君子豹變，其文蔚也」。文在這裡的意思，同於紋字，也就是指虎、豹的花紋。事實上，在自然界裡，非但肉食性的虎、豹有花紋；草食性的鹿、羊也有花紋。花紋在動物身上，有偽裝和遮掩的意義。它可以讓虎、豹與自然環境合而為一，而隱藏它們的掠食行動。它也可以讓鹿、羊與自然環境合而為一，而隱藏它們得以不被掠食。因此，文（紋）存在的目的，就是偽裝與隱藏。這是文最原始的意義。

文這個字用之於人，意義也大同小異。我們可以參考《論語》，看看春秋晚期的孔子，如何使用文這個字。《論語》中有一句話，很能代表孔子的中庸精神；那就是「質勝文則野，文勝質則史。文質彬彬，然後君子」。（《論語 / 雍也》）文和質相對，可以令人對文的意義更加清楚。

文和質是相反的事情－後者代表事物的本質，前者代表對本質的偽裝與隱藏。也可以說，文在外，質在內；文是形式，質是內容。孔子說「質勝文則野，文勝質則史」－表示太重內容則粗野，太重形式則虛偽。這句話很平實，也很驚人。因為孔子竟然說，人的本質是粗野的，而人的文化是虛偽的。事實上，孔子只是完全了解人之所以為人（一種高等生物）的獨特性與普遍性罷了。人的本質是獸，其本性是鬥爭與搶奪；自然這種本質太多的時候便粗野。但是人又是群體動物，每個人都無顧忌的顯露野性，要如何相處呢？所以人必須因應社會需要，而將野性隱藏起來。這種包裝如果太過的時候，就顯得虛偽了。

> 東方不講科學，卻早已明白，人的痛苦淵源於人性與獸性的鬥爭；文質問題便是好例子。西方以科學著稱，卻在基督教的影響下，不肯承認人是獸，而以為人的痛苦是由於人性與神性的鬥爭；直到查爾斯・達爾文（Charles Darwin）出現，才有了不同想法。

對於粗野與虛偽的兩難局面，孔子的中庸之道發揮了本領。他接著說「文質彬彬，然後君子」。孔子說一個人內外要並重，形式與內容要相調和；要能文能質，又文又質。「文質彬彬」是「文」與「質」的結合，是人性與獸性的結合，是「粗野與包裝的結合」。這才是孔子的本意，才是由二而一，由矛盾而統一的中庸思想。（在生物學意義上，「衣冠禽獸」與「沐猴而冠」，或是可以有些新意？一笑）

文的原始意義便是如此。它可以代表文化，代表人的一切活動。但是它與質的相對，清楚點出了它的包裝意味－人類後天文化的出現，是為了偽裝與隱藏其先天獸性。因此，文這個字離不開偽裝和隱藏性格。「文過飾非」這個成語，還能顯現文的原意與老式用法。

文的意義簡單而清晰。但是曾幾何時，這個深通「文道」的禮儀之邦，避諱談質，而把質忽視了；因為忽視質，連帶的把文的意思也扭曲了。（這種忽視和扭曲，也可以視為一種文的動作－目的是把文、質的原始意義也隱藏起來）現代人多半以為「文質彬彬」是文雅的意思，而不知道其本意是「粗野與包裝的結合」。因為忽視質，使得中國人少活力。因為扭曲文，使得中國人在人際關係上，總顯得過分謙虛。（謙卑）這些錯誤，讓孔子的精深學術受到損失；讓孔子從學術的制高點，下降為一位普通的謙謙君子，甚至下降為一位食古不化的冬烘先生。這種對孔子思想完整性的破壞，是漢代獨尊儒術政治謀略所造成的惡果。

「文」與「武」的關係

《易經》與《論語》都是中國的老典籍，它們對於文的解釋，是文之原始意義。但是文、質問題除了哲學上的思辨外，有其實用性麼？這個問題較之文、質的哲學問題重要多了。對於文、質在人生的應用上，中國思想家有過精闢說法。

韓非子是戰國末期的思想家。他的思想和事業，有點近似義大利的馬奇維利。（N. Machiavelli）兩個人都崇尚霸術，而欲以其著作輔佐君主。韓非子運氣不好，因為同學李斯的忌妒，而被害死。不過秦始皇非常重視他，其後秦國（秦朝）的霸業建立，隨處可見韓非思想之痕跡。

韓非在其著作中說「儒以文亂法，俠以武犯禁。」（《韓非子／五蠹》）這是相當早期的，關於「應用」文、武的記載。韓非將儒、俠並列，並且對它們都沒有好感，可以側面看出儒家的原始形象。（至於俠，則大致上是指墨家）韓非子特別提到儒、俠兩家不守法，因為他們有特殊本領－文與武。這裡的武與前述的質很類似，代表獸性與暴力。而文更是和《易經》、《論語》中文的意義相連貫。文與武（文與質）在韓非子的眼裡，是特殊本領，是鬥爭上的厲害武器。可見到了戰國晚期，文、武已經殊途了。孔子理想中的「文質彬彬」（文武合一的六藝精神）已經不復得見。

韓非對於文、武如何被運用，講得也很清楚。「夫離法者罪，而諸先生以文學取；犯禁者誅，而群俠以私劍養。」韓非以為，文、武之所以可怕，是它們的擁有者不懼法律。法律是社會國家之所以能夠維持的根本；如果不懼法律，便是制人而不制於人的厲害角色。因此韓非說，犯法是有罪的，但是君主總是攏絡有亂法本領的儒者；犯法應受到制裁，但是君主總是攏絡有私人武力的俠客。韓非以「私劍」形容私人武力，而以「文學」稱呼亂法本領。上位者明明知道這些人是違法犯禁之徒，為甚麼要攏絡他們呢？因為他們有用－他們在上位者眼中，是厲害的鬥爭人才。用現在的語彙講：武是暴力，是直接毀滅的能力；文是解釋力，是在文字與語言上論述，而使得道理在己而不在彼的能力。用更簡單的話說，文是一種語言文字的技術或藝術；能夠說明，甚至證明，我對你錯。這裡面不但有文之本意－遮掩包裝的工夫，還出現了強大的攻擊火力。君不見戰國時代的孟子、荀子是如何強悍激烈？先秦時代，文與文學到底是什麼本領？文人到底是什麼人物？昭然若揭。

「文」的弱化和窄化

韓非的「儒以文亂法」，證明儒家在先秦絕非弱勢形象。經過秦朝對儒家的極度不友善，漢代君主對儒家採用了相反政策－武帝因應董仲舒建議，開始獨尊儒術。事實上，漢代君主明白文人手段厲害，絕不可能獨厚儒家。因此，在獨尊儒術的施行上，有配套措施－弱化與窄化儒家學術內容。通過這些措施，使得儒家變得徒具框架，僅能扮演招牌旗幟角色。其中，最為明顯的弱化動作，是以陰陽五行家理論解釋儒家經典；利用儒家經典傳播陰陽家思想。造成儒家空有文字書冊，而其思想不得行諸世間。其中，最為明顯的窄化動作，是改變

六藝內容，去除儒家的「亂法」本領。（董仲舒是個厲害腳色，儒家因為得到現實利益，也不去計較他毀儒、毀孔的行為了）

六藝原來是「禮、樂、射、御、書、數」；是周代青年貴族的必修課程，所謂「養國子以道，乃教之六藝」。（《周禮／保氏》）六藝是貴族的實用知識。廣義的講，類似今天的政治、藝術、武術、寫字（進而掌握語言文字）與算數（進而掌握經濟能力）。這種教育方式令人羨慕，令人想到古希臘羅馬的貴族教育；它也是孔子教授其弟子的課程內容。

> 孔子教育事業的大動作，就是把貴族教育導入民間；所以戰國才會出現布衣卿相局面－民間人士可以和貴族一較短長。如果孔子的教育內容不是周六藝，他的學生中，不會出現子貢（商人）子路（軍事家）等等特殊人物。

到了漢代，六藝是指《詩》、《書》、《易》、《禮》、《樂》、《春秋》等六經；其內容明顯的狹窄化了。周六藝是菁英的養成教育，漢六藝是官吏的職前訓練。周六藝是六種教育內容，（方向）漢六藝卻是六本固定的書本。其中最大的差異，便是周六藝中的射、御、數（武力和經濟）沒有了。因此漢代以後的歷代典型書生形象，都是體弱、膽怯而沒有謀生能力的可憐人物。他們除了依附政府，期待「書中自有黃金屋，書中自有顏如玉」外，便無甚理想。

> 「書中自有黃金屋，書中自有顏如玉」，不過是「財」「色」而已，極為沒有出息。這兩句話，乃宋真宗趙恆籠絡（貶低）讀書人的策略性語言罷了。

這便是漢代獨尊儒術的背後真相；孔子與儒家雖然表面光采，實質上卻極為不堪。漢政府對儒家的弱化與窄化政策，使得孔子「文質彬彬，然後君子」的中庸教育，在漢與漢以後，都不曾實現。因為六藝內容的改變，文的意義狹窄了。文、武失去了平行的地位，文人不再因其本領而強勢。文人的定義，由足以「亂法」的厲害人物，轉變為溫和的文學家、文化人。文漸漸與優美發生聯想，稱為文雅；文漸漸與軟弱發生聯想，稱為文弱。在現代的中文語彙裡，文這個字，已然成為「優美軟弱」的古典說法了。

尾語

我對中國歷史，向來有一種「偏見」：只喜歡上古先秦部分，往下皆不願意碰觸。因此，我唸碩士博士時，都以先秦器物為研究主題。這件事情，藝術界的人，以為是我對家庭的反抗；因為父親在書與印上有造詣，我就拗著他非要搞考古器物。事實上，不是這樣。

大學時代，凡讀書至先秦以下，我便有一種不忍，便有一種尷尬；中國為什麼這樣衰弱？並且還要振振有詞呢？漢代以後，中國不斷受到外族侵擾，以至清代。其間足以自傲的盛世，也都是外族政府的優秀表現－例如唐、元、清三朝。然而，明明是異族建立朝代，歷史卻總是婉轉的說：我們勝利了，我們同化了異族。同化異族是不爭的事實，但是，歷代政府多由異族建立，更是不爭的詭異事實。（關於中國歷代建國者和異族的關係，將有專文說明）這種不忍和尷尬，讓我對漢代以後的歷史，基本上不想去了解。這是一個十九歲大學生的簡單感覺。

隨著年齡增長，我認為這種「偏見」的產生，必然和漢代有關係；因為中國形象的改變，漢代是重要分際。漢代發生什麼大事呢？

細細一想，當然是儒家成為中國思想主軸，掌握中國社會運作。讓人對中國不忍、尷尬，不敢回首兩千年，是儒家造成的麼？漢代所謂的那個儒家，是孔子建立的那個儒家麼？昔日，儒家不能抵抗北方的強勢遊牧民族。今日，它能夠帶領我們，面對西方的強勢科技民族麼？未來，我們這個儒家國家，要以什麼形象，站立在國際舞台上呢？（仍然是「優美軟弱」的形象麼）這些問題，始終縈繞腦際。

近年，大陸提倡儒家不遺餘力，並且在世界各地廣設「孔子學院」。額手稱慶的同時，我不禁又憂慮起來：是漢代儒家要回來呢？還是周代儒家要回來呢？寫這篇「文」的原始與演義時，我的憂慮更加重了幾分。

我們的虛擬世界（I）－藝術與宗教

（完稿於 2014年5月28日）

楔子

大約在世紀交替時候，一種新的科學技術出現。那種新技術，叫做虛擬現實；（virtual reality）也翻譯成虛擬實境等等，其他名稱。不少人不喜歡虛擬二字，認為有真假不分的感覺。其實英文 virtual 就是假的意思。翻譯成虛擬，還是客氣的，還是「信雅達」兼備的。

虛擬現實，是利用電腦合成技術，提供一個電子的三度空間。在那個空間裡，人可以感覺到模擬的視覺、聽覺、觸覺，甚至嗅覺、味覺。中國有一句成語，叫做「身歷其境」，最能表達那種狀態。事實上，那種狀態不真實。它是由機器合成的虛擬感覺－假感覺。換句話講，虛擬現實是利用機器作假；欺騙我們的感官，（眼、耳、鼻、舌、身）誤導我們的感覺。（色、聲、香、味、觸）

虛擬現實可以造成假感覺，因為它能令人產生「4I 反應」：immerge-implicate-interact-imagine；四個 I 開頭的反應。如果不要求精確，可以翻譯為：沈浸－暗示－互動－想像。機器令人產生的反應，不就是催眠術（hypnosis）所使用的誘導反應麼？催眠術，可是歷史悠久的東西了。人類文化中，類似催眠術的東西，極為豐富。製造虛擬世界，根本是人類駕輕就熟的老把戲。這個老把戲，從藝術說起，最容易明白。

虛擬的娛樂－說藝術

藝術世界，是絕對的虛擬世界。但是，為什麼把形象高尚的藝術，定義為娛樂呢？因為就創作而言，藝術或許嚴肅；但是就欣賞而言，藝術僅僅是一種娛樂；一種可以轉換情緒的娛樂。複雜的心靈，需要細緻的情緒轉換；簡單的心靈，需要粗略的情緒轉換。藝術沒有高下之分，只是提供不同欣賞者以不同的娛樂而已。現實生活，枯燥辛苦。人類渴望虛擬的東西來娛樂自己、催眠自己。這大概也是萬物之靈的特色之一罷。

藝術這種虛擬的娛樂，可以分為美術、音樂、舞蹈、戲劇四個項目。這四種藝術，都是感官虛擬；都需要透過我們的視覺、聽覺等器官去感受。藝術上的感受稱為共振 resonance，（也叫做共鳴）共振本是物理名詞－振動頻率相同的物體，一個發生振動，另一個也發生振動。在藝術活動中，心靈之間也會發生共振。這種振動，可以稱為感動，可以稱為催眠，也可以稱為被藝術動搖了心智，分不出真假了。共振，是虛擬世界的核心部分。無論虛擬現實、催眠術還是藝術，都需要共振－需要施術者與受術者、誘導者與想像者間的心靈共振。

藝術虛擬，是明顯的事實。其中，美術虛擬最簡單。美術是單純的視覺虛擬，也是靜態虛擬。（時間靜止的虛擬）美術家畫一棵樹，樹不會動；塑一個雕像，雕像不會動。這種時間靜止的虛擬，不存在於現實世界。因此，美術並不容易讓一般人產生共振。（容易看穿其假）靜態的特性，使得美術成為時間上的片斷虛擬，而非連續虛擬。在藝術的虛擬世界中，美術的技巧比較初級。再者，美術不是表演藝術，（performance art）它的創作與欣賞不同步。美術家不是表演家，不需要面對欣賞者；所以美術也沒有「4I反應」中的互動關係。互動，是施術者加強暗示的重要機會，可以將受術者導入深層想像。美術沒有這一部分。

從時間連續的角度而言，音樂比美術複雜。音樂是單純的聽覺虛擬，但是音樂不是靜態的。音樂中包含著時間的因素－需要三分鐘、五分鐘或者一小時去欣賞。時間，讓音樂成為動態虛擬。時間和動態，是一而二與二而一的事情；是感覺變得真實的重要基礎。隨著旋律和時間流動，完整的沈浸－暗示－互動－想像過程出現了。欣賞者陶醉在音樂虛擬的世界中；感覺著〈月光〉、〈四季〉、甚至〈命運〉。音樂的動態虛擬，比美術的靜態虛擬更容易催眠我們，更容易讓我們進入忘我的狀態。《論語／述而》中的「子在齊聞〈韶〉，三月不知肉味」，應該看作是音樂虛擬的經典註腳。

繼之再說舞蹈。舞蹈比音樂又複雜一點。傳統舞蹈，多喜歡伴之以音樂。因此欣賞舞蹈，需要視覺、聽覺兩種感官。並且，傳統舞蹈有情節故事。面對這種有敘事性的藝術，可以說是在看舞蹈、聽音樂，也可以說是在欣賞一個故事。有了音樂和情節故事，讓舞蹈成為綜合性的高級虛擬。然而，因為音樂和敘事相伴，傳統舞蹈很類似戲劇－很類似一種肢體誇張的戲劇表演。因此，舞蹈和戲劇置於一處，舞蹈就難免相形失色。(二十世紀的現代舞，是試驗性很高的藝術。它的試驗，即是去掉敘事部分，甚至音樂部分。目的是使舞蹈遠離戲劇，使觀眾專心於舞蹈的本質－肢體動作)

最後看看戲劇，戲劇可說是最複雜的虛擬藝術。它不但虛擬故事情節，還虛擬心理情境。情境虛擬（講心理）比情節虛擬（講故事）更貼近真實人生。戲劇透過演員演技，把虛擬世界和真實世界結合在一起，(不容易看穿其假）讓人隨著演員的誘導，而喜怒，而哀樂；被催眠至最深沈的想像之中。在那個虛擬的世界裡，我們分不清楚真假，失去自我。「看戲的是傻子」那句話，便是此意。至於「演戲的是瘋子」那句話，是指演員在虛擬（表演）過程中，弄到自己也分不出真假－不辨戲裡戲外。所謂「不瘋魔不成活」，是演員在真假虛實間的掙扎寫照。那可真是個「真真假假真亦假，假假真真假亦真」的虛擬世界啊。

藝術的虛擬，是有程度的：由靜態而動態，由講故事而入情境。越虛擬的藝術，越為人喜愛。因為越虛擬的藝術，越有娛樂與催眠效果－越能令人轉換情緒。四種藝術項目中，戲劇居於王者地位，是沒有問題的。人類是容易催眠，喜歡虛擬的動物；通過各種虛擬的藝術來娛樂自己，早就成為了習慣。有這種認知後，再去觀照更為複雜離奇的人類文化，便不至於驚異。

虛擬的未來－說宗教

人類的離奇文化眾多，首先看看宗教。宗教的起源，是個有趣問題。基本上，宗教像是藝術一般的虛擬了「死亡世界」。那個世界之所以被虛擬，是因為人們恐懼死亡。「死亡世界」的出現，讓人們相信死亡是道門檻；通過那道門檻，便進入另外一個世界。「死亡世界」的存在，使人們不再恐懼死亡；樂觀地，認為死亡是生命形式的轉換樞紐。（由生人而鬼靈）然而，那個世界的虛擬，茲事體大。生死之事，豈可像藝術一般的隨便虛擬，就能相信？所以，為了證明「死亡世界」存在。宗教又虛擬了各種神明，（祖靈、神祇、上帝）由祂們掌管那個世界。「死亡世界」和神明，是宗教虛擬的兩個基本支架。缺一不可。

宗教創造「死亡世界」和神明，有互證二者存在的作用。（神明掌管該世界，該世界由神明掌管）但是，兩種未知的事物互證存在，也未免不合邏輯。如果先證明其一的存在呢？互證問題就說的通了。「死亡世界」的存在，難以證明。（沒有人去過）但是，神明的存在，證明起來並不困難。因為，宗教家的工作，就是證明神明的存在。宗教家可以與神明溝通，可以與神明說話。他們神祕的溝通能力，是宗教虛擬的起始。只要信眾相信神祕能力，誘導便已成功，信眾的想像就會漸漸出現；神明和「死亡世界」的形狀，就會漸漸具體。因此，與其說信眾接受宗教，不如說，信眾信任了宗教家的神祕能力。宗教家利用這種信任，讓信眾自行在想像中去作推論。宗教，利用信眾的想像，控制著不可知的未來世界。

宗教的虛擬過程中，宗教家居於引導地位；其他部分，要靠信眾的推論與想像。宗教和藝術、催眠、虛擬現實一樣；虛擬一旦啟動，信眾便驅使自己進入那個想像世界。從現今各種宗教看來，越原始的宗教，越純熟於演員式虛擬誘導。（例如神明上身）越進步的宗教，越純熟於劇場式虛擬誘導。（例如法會儀式）不同的場景中，宗教家在信眾面前，或者奇形怪狀的，或者神聖莊嚴的，與神明進行著交流。也許有人說，很多降神場面，看來很真實呢。很多儀式場面，令人很激動呢。這是宗教有異於藝術（戲劇）的地方。宗教的互動與暗示，遠遠超過戲劇。看戲的時候，大家或哭或笑，總是保持著觀眾身份。但是宗教具有的互動特色，卻使觀眾也成了演員。信眾隨著宗教家的暗示，手舞足蹈，陷入瘋狂境地。前面提過的「不瘋魔不成活」，在宗教中，再次得到具體驗證：越是分不清真假虛實的演員，越是好演員；越是分不清真假虛實的戲，越是好戲。宗教的虛擬世界，是人類文化上，深具影響的精彩大戲。宗教家與信眾，同為施術者與受術者。他們相互催眠著，在虛擬的世界中，尋求恐懼的棲身之地。

我們的虛擬世界（II）－政治與歷史
（完稿於2014年5月28日）

虛擬的現世－說政治

（一）古代的情況

人類恐懼死亡的想法，很是普遍。宗教靠著虛擬未來世界，長久控制人心。因此，自從宗教出現後，人類社會便有兩種領袖。一是掌握現實的政治家；一是掌握心靈的宗教家。前者看似高調，其實難得人心。（誰喜歡別人管著呢）後者看似低調，其實大受歡迎。（誰不願意親近未來世界的「接引者」呢）我們只要看看，兩者對於社會上財力、人力的掌握，就可以明白大概。

平心而論，古今中外，沒有人願意對政治出錢出力。政治要靠法律做後盾，才能夠徵集到錢與力。（稅與役）但是宗教要求信眾出錢出力，（樂捐與服務）結果可是大大不同。信眾不但甘之如飴，還怕奉獻太少，落人之後。對於政治與宗教，人心的向背取捨，竟然這樣明顯突兀。無怪政治對宗教深具戒心，唯恐其坐大超越。

政治不讓宗教坐大的辦法，其實很簡單，就是「政教合一」；就是以行政權力，涉入宗教的虛擬世界，佔據對神明的主祭地位。政治一旦獲得這個地位，便與宗教分享虛擬。不但也有溝通神明的資格，也有與信徒相互催眠的資格；並且在祭祀場合中，常常令宗教淪為配角。（在中國，大到帝王祭天，小到家長祭祖，都可以看見這個現象）「政教合一」是政治侵奪宗教的權力鬥爭：「死亡世界」可以繼續讓宗教家管理，但是神明－特別是神明與政治人物間的特殊連結，必須留給自己。因此，在歷史上，通過種種政治「造神運動」，（apotheosis）一批奇異的新神祇出現了。古巴比倫自漢摩拉比始，即有君權神授說法，（王權是神明給予）中國自周代始，即有王即天子說法。（王即是神明子嗣）巴比倫的君權神授說，讓宗教成為神人間的權力仲介者。中國的天子說，則以血統關係，把宗教徹底趕出權力核心。

借用宗教虛擬而建立的政治虛擬，是「假戲真做」的虛擬。這種「假戲真做」不是藝術表現，而是權力意志表現。原本只在「死亡世界」活動的神祇，開始在人間活動。原本只是信徒的虛擬想像，變成所有人民的共同負擔－如果違反人間神祇的意志，會受到法律與軍隊的懲罰。那種懲罰，實實在在，一點戲劇成份都沒有，一點虛擬成份都沒有。宗教虛擬，是為了免除離開現世的恐懼；政治虛擬，卻使現世本身成為了恐懼淵藪。政治家比宗教家更懂戲；更懂得如何跨足虛擬與真實，台上與台下。政治，利用虛擬獲得現實利益；利用虛擬，控制了人的現實世界。

（二）現代的情況

人類有社會組織，將近一萬年。其中百分之九十五時間，宗教與政治分享著那個虛擬世界，控制著人的未來和現世。然而，在歷史的逐步進化潮流下，宗教終於露出了疲態。五百年前的文藝復興，令科學興起宗教式微。依附宗教的人間神祇，也受到身份與血統的質疑。政治，開始與宗教漸行漸遠，現代的民主立憲國家，於是焉出現。長時間享受虛擬果實的政治人物，完全了解虛擬的重要。在撇清神祇血統以後，他們發現了與宗教同等虛擬的寶貴東西。那種東西，叫做政見。一種討論現世生活的樂觀藍圖。

這種樂觀藍圖的出現，延續著虛擬的歷史邏輯：既然，對未來不能再以宗教想像之，那麼退一步，對現世以樂觀藍圖想像一番，總是可以的。（想像的理想性消失了，或者可以稱之為頹廢的想像？）「政教合一」時代的政治人物，靠武力得到權力，靠宗教鞏固權力。民主社會的政治人物，相對簡單；靠政見得到權力，靠政見鞏固權力。他們擺脫宗教，直接躍上舞台，靠著勾勒現世美景，建構虛擬新世界。現代的民主政治，政治家是獵人，選民是獵物，政見是誘餌。獵人只要取得獵物，不會回頭計較誘餌的真實。藍圖式的虛擬，是政治控制的新方式，並且方興未艾。這種短暫而不計後果的政治虛擬，使政治人物和真正演員，越來越接近。政治的虛擬世界裡，假神祇退場，真演員進場。他們輪流上台，口沫橫飛地，描繪著各種關於現世的樂觀藍圖。

民主政治，本是商人政治。（各種代議士，並不代表社會普遍民眾，而是代表社會利益團體）代議士以及準代議士，為了替商人爭取發言權，廣泛運用商業宣傳手法：以「販賣」政見，引起「購買」為唯一原則。（其過程稱為政見發表和投票活動）中國有「士農工商」的說法，政治和商業，距離最遠。如今政治商業化的潮流，讓政治人物放下身段，甘願做商人的傀儡。傀儡是一種戲劇的名字；一種拴著繩子，由人幕後操縱，給小孩子看的偶戲。現代的政治，不需要拉著宗教，演什麼神聖大戲。政治人物由商人在背後操弄，演著可笑的偶戲－讓小孩子們圍觀。最後，小孩子們興奮起來了，隨著偶戲起舞。這種政治虛擬，很有一點《老子》「百姓皆注其耳目，聖人皆孩之」的味道。

西元1981年，一位職業戲劇演員，躍身成為世界級的政治領袖。在文明文化史上，這是值得注意的一件事情。

虛擬的過去－說歷史

宗教和政治，掌握著虛擬的未來與現世。它們的運作方式，和藝術中之戲劇最接近；以類似催眠的沈浸－暗示－互動－想像過程，使受術者接受施術者的意圖，以假為真。在過程與意圖上，政治都較宗教更為嚴峻殘酷。政治除了依靠虛擬，掌握現世，它還要依靠虛擬，掌握過去。因為，過去是現世的基礎；今日權力的合理（合法）性，由昨日權力的合理（合法）性而來。所以，中國古代有巫史的設置。（同時掌握宗教與歷史的官員）讓政治可以一手抓宗教，一手抓歷史。一手抓未來，一手抓過去。

過去的事情，早已淹沒；要靠史家紀錄才能窺見。事實上，過去和未來有相像的地方。它們一個在現世的後面，一個在現世的前面。飄盪於時間的朦朧之中，看不見也摸不著。朦朧不清的東西，最為適合虛擬。

政治掌握歷史的目的，是要替當下的權力背書；證明自己沒有靠著不好的手段竊取權力。換言之，歷史對政治而言，就是要替當政者說好話，說自己是一個好人。而其他的政治對手，都是壞人，都是註定要失敗的。因此，歷史應該是科學，應該是客觀紀錄，但是歷史是藝術；一種文字藝術，一種「準劇本」的撰寫。中國「文史不分」那句話，把歷史的特性說得很露骨；客觀的歷史紀錄裡，充滿了主觀的文字偏見。歷史向藝術靠攏，是歷史虛擬的主要原因。（史家紀錄，要靠文字。文字是思想語言的延伸。文字紀錄是真實的紀錄嗎？這個問題很難回答。因為文字是人寫的，而人是有立場的；所以，文字是一種主觀的紀錄。今日，即便出現了攝影錄像，仍然是主觀紀錄。不同立場的人，拿著攝影機紀錄事件，絕對呈現出立場不同的畫面。所謂的真實與客觀，經過人手，竟然並不存在）

歷史中的主觀偏見部分，由政治所刻意主導。過去世界，必須合於現實政治的需要。為了需要，過去可以虛擬；為了需要，過去可以由史家藝術地創造。創造各種有利現實的過去。當下的政治繼承者，可以替被繼承者講好話，也可以替被繼承者講壞話；端看是順勢繼承，還是逆勢繼承。在這個基本原則下，歷史像是連續劇一般，一段一段的虛擬；一套一套的編故事、寫劇本。反正在古代，史家都是御用史家。政治要歷史說什麼，它就說什麼。不肯遷就政治的，有如鳳毛麟角。民國梁啟超，說中國歷史是「帝王家譜」。（原文是「二十四史非史也，二十四姓之家譜而已」）就是這個意思。

文字是戲劇的文本，而非戲劇本身。誰是好人壞人的虛擬歷史，也跟一般人不發生關係。但是，好人壞人的鬥爭故事，卻永遠受到歡迎，永遠是流行戲碼。因此，這種虛擬的歷史（或者可以直接稱為歷史小說？）廣為搬上舞台；在當政者的意旨下，傳播於民間，成為全民的共同虛擬記憶。只要權力的傳承關係為大眾接受，現世政治，便會因為過去的虛擬支撐，而增加了力量。

結語

科技上的虛擬現實，（virtual reality）真是可驚異的麼？在催眠狀態的虛擬世界中，驚異和警醒的意思差不多。凡是不能讓人驚異、警醒的虛擬，才是完美的虛擬。人類在宗教、政治和歷史上，利用藝術（戲劇）手法，成功的創造了未來、現世與過去幾個舞台－演著讓人無法警醒的，虛擬大戲。

經濟學上有所謂供需理論；出現什麼產物，因為有什麼需要。虛擬科技的出現，絕非偶然。人類是長於虛擬－喜歡催眠與被催眠的動物。當舊有的虛擬逐漸幻滅時候，新的文化虛擬自然填補取代。所謂「新瓶裝舊酒」，或者即是此意。

佛陀說「凡所有相，皆是虛妄」，莊子說「大惑者，終身不解」，屈原說「眾人皆醉，我獨醒」。這些兩千年前的聖者賢者，都是最擅於觀察人類文化，最了解虛擬意義的人物罷。

談談學術家和藝術家該有的史學思考

（完稿於 2010年12月15日）

中國有句老話－「內聖外王」。它看似儒家說法，因為儒家喜歡說聖人與王道；實則，這句話出現在《莊子》裡面。這種「內在本領足以為聖，外在本領足以稱王」的境況；很有點柏拉圖在《理想國》中提到的「哲學家皇帝」味道。然而，無論「內聖外王」還是「哲學家皇帝」，畢竟都是一種較為極端的講法。雖然不能說歷史上沒有這種人物，畢竟少之又少，與一般人的關係不密切。

「內聖外王」的原意，是指一個人同時俱備了聖、王兩種條件。兩種條件集於一身，真是相當困難。但是，如果把它們分開，則很具體的說明了人的社會分工問題；說明了人在社會上關於志業、事業的兩種基本選擇。聖與王，是那兩種選擇的內容；內與外，是那兩種選擇的形式。

什麼是外王呢？在今天的鬆動解釋下，可以說凡是與現實事功有關的事，都能夠稱之為外王事業；例如政治、經濟和軍事。這些事業，具體的對人類當下社會有影響。若是把這些事業做到極致，都可以擁有組織（政府、公司和軍隊）並且掌握相關資源。在今天的社會環境裡，也就可以說是稱王了。要從事這些事業，必須積極面對外在世界，要與其他人密切來往；靠著人與人間的複雜關係，建立「王國」。這是一種顯露於外，很清楚的事業；也是多數有企圖心者投入的事業；他們認為從其事業中，可以得到做人的尊嚴。

至於內聖，則和外王相反。內聖的事業和現實功利沒有什麼關係，不能明顯的對現實社會有影響。若是把這些事業做到極致，則和聖的意義接近，被視為對人類的整體文明文化有貢獻－其事業的項目，主要是學術和藝術。從事這些事業，無論是發明還是創造，都必須勇敢面對自己的內心世界，和自己的理智感情作長久鬥爭；如果從其中獲致心得，則無私的將之貢獻於文明文化。這種貢獻，常常無聲無息，並且得不到立即的（或者永遠的）反響。這是大部分有企圖心者不願投入的事業。但是少數有企圖心者願意從事這些事業；他們認為從其事業中，可以成就做人的價值。

西方人不講「內聖外王」，但是，西方人很懂這個道理，並且對於「內聖」－學術與藝術極為重視。（事實上，世界上各民族經過長久的人生實踐，都會產生相當類似的經驗，只是因為語言不同，術語不同，而顯得差異性很大）在西方的大學中，常常設有兩種研究所，那就是科學史（history of science）研究所和藝術史（history of art）研究所。西方人認為科學和藝術，是人類最大的文明與文化遺產，是人類精神文明和物質文明的實際表現。觀察一個國家，一個民族或者一個時代科學與藝術的成就，可以了解該社會在理性和感性上，發明創造了什麼價值。而這種價值，是人類文明文化的具體內容；是人類曾經在地球這個行星上存在過（existed）的具體證據。這種見識，應該是西方文藝復興後的新認識。而這種認識，和西方國家今日的文明文化程度，或者有相當的關聯。

但是，這兩種學問在西方大學中，卻僅有研究所而不設大學部。一來，表示這兩種學問的層次高。二來，也表示這兩種學問，因為層次高的原因，對一個準備在社會上謀職的大學生而言，是不容易找到適當工作的。這裡面的矛盾，流露出關於人類文明文化的一些悲涼。流露出關於中國所說的「內聖」事業的一些悲涼。

學術和藝術，在今天的學科分類之下，學術大致可分為自然科學與社會人文科學，藝術大致可分為美術、音樂、舞蹈、戲劇等項目。（文學的性格很特殊，它既可單獨存在，也是戲劇的文本；同時它探討人類的問題深刻，又像是社會人文科學的一種藝術表現方式）從事上述這些工作的人，應該認識其工作之特殊性格，並且建立正確之工作態度。當然，從事這些工作，也算是投入事業；可是，它們更接近志業。甚至，需要從事者具有宗教般的熱情。它們和現實社會關係不大，卻和整體的文明文化有關；它可能成為人類遺產的一部份，成為英國科學家牛頓（Isaac Newton）說的那個巨人的一部份。（也有人說他的那句名言「我站在巨人的肩膀上」，其實並不是牛頓發明的）

牛頓口中的巨人，就是歷史的巨人，就是人類累積的文明文化。牛頓看似謙虛的說法，驕傲地暗示著，他已經成為那個巨人的一部份。這個巨人很具體，它是我們現今文明文化的樣貌；這個巨人也很抽象，因為它從朦朧的歷史中走出來，並且越來越巨大；這個巨人是由時間所結構而成，是由時間中各種有價值的東西結構而成。這些有價值的東西，絕不是政治、經濟和軍事，而是學術和藝術；是人類種種有價值的理性與感性結晶。西方重視科學史和藝術史，就是重視這個歷史巨人，重視這種價值。（反觀中國人總說重視歷史，我們歷史中都記錄了些什麼呢？我們的歷史巨人又是什麼呢？梁啟超說中國歷史是「二十四姓的家譜」，深刻卻又令人難過。這是題外話。不過，是重要的題外話）

這個從歷史中走出的巨人，看似虛無飄渺，卻又實實在在。很多人認為人生虛無，一切都是雲煙過眼。人生是如此嗎？人生確是如此。但是，那是從事政治、經濟和軍事相關事業者的人生。他們一生兢兢業業，為了在現實社會中求取一個位置；一個設定在現世組織中的位置。當他們離開那個位置的時候，一切因為該位置而得到的現實好處，也就隨之而去；一生追逐、護衛的所謂尊嚴，也就隨之而去。虛無感，便因之而生出來了。至於從事學術與藝術的人，在這個人生是否虛無的問題上，卻不虛無，卻實實在在。因為他們追求的價值，不會因為時間而消散，反而因為時間而成形；凝聚為歷史巨人的一部份，對人類文明文化做出貢獻。換句話講，從事學術與藝術者，不在空間中爭取尊嚴，而在時間中爭取價值。他們的戰場，不在空間中，而在時間裡。

上面說的道理，可以歸納出簡單結論：追求現實尊嚴（利益）者，最後人生落得虛無，追求非現實價值（貢獻）者，結果人生反倒不虛無。更何況，除了所謂抽象的價值和貢獻外，學術與藝術工作者，還實際的留下了「物質證據」，（material evidence）證明他們的存在，和他們所以存在的原因－價值的創造。（我總開玩笑說，人要「物化」，就是這個意思）這些「物質證據」，就是文字（包括科學符號）和藝術作品。那個看似虛無飄渺的巨人，就是這樣的實實在在的看得見，聽得著。

雖然是這樣一件實在的好事，但是，要在時間中留下「物質證據」，要在時間戰場中獲勝，卻是分外的困難。學術家和藝術家的那個時間戰場，不是一個輕鬆的戰場。套用現代的運動術語：那個戰場，不是一個對抗賽，而是一個資格賽。那裡沒有敵人，只有自己孤單的長影，和歷史上最為優秀的諸種心靈。要贏得戰役，只有一個作為，便是勇於讓自己的理智與感情，盡情翻攪，迸出火花；直至鎔鑄出足以結構巨人的零件；鎔鑄出「物質證據」；鎔鑄出價值。學術家與藝術家不在空間中戰勝別人，屈服別人。只在時間中戰勝自己，證明自己。

是的。就是這些問題：時間與空間，價值與尊嚴，存在與虛無，證明與屈服…學術家與藝術家，必須認真思考。學術和藝術事業，是非常特殊的人生選擇。

學術的根本－隨想五則

（完稿於 2012年10月3日）

真理與理性（1999.6.7）

真理這兩個字，好像已經久未聞問了。最近在研究所的課堂上，因為課程偏重思想，學生好幾次說「追求真理」這句話；這個問題又回到我的腦子裡。

對於真理，有人以為是一生追求的目標。有人以為它高不可攀，但是必然存在。也有人以為，真理遙不可及，失望的以為根本沒有真理。對於真理，我有一些看法。

第一，真理應該出自於理性的思惟。所謂理性思惟，相對於想像、感性的推測。因此，追求真理之先，必須認同理性、科學的思考方式；同時，服膺其思考結果。在這種原則下，真理就不會是高不可攀的事情。即使我們不能明白真理，也會逐漸的接近真理，明白事情的基本道理。

第二，所謂真理，應該是關於人的真理。關於物的真理，今天已經清楚的被稱為科學（science）。所謂追求真理，是指追求人在社會中，可以信服、依靠的普世道理而言。

在秉持理性、追求關於人的道理兩個原則下，我們就要像科學家一般的追求真理；只是我們的了解對象，是社會中的人，而非自然界的物。

前面說過，不少涉世已深的人以為，「真理遙不可及，而失望的以為根本沒有真理。」那麼，真理遙不可及嗎？真理不存在嗎？我以為當然不是如此。但是失望的人那麼多，是怎麼回事呢？因為，真理常常和他們擦身而過，可是他們看不見真理。或者，真理常常和他們擦身而過，可是他們不相信那是真理。這個道理，說來也簡單。那就是，人並不願意理性的面對關於人的道理。尤其是當他發現，真和善，有時候距離那麼遙遠。

原來，真和善不是一件事情。把真和善界定不清－以善的預設理想做為真的追求方向，是大多數人不見真理的原因。上述「我們就要像科學家一般的追求真理」這句話，在此就有意義了。因為，科學裡面有真理，哲學裡面沒有真理。

其實，無論刻意追求真理與否，每個人都依靠真理指導而生活著。真理是什麼呢？真理只是人這種生物的科學特性而已。它包括生物基本的求生本能，和人所獨有的七情六慾。真理是人的真理，我們每一個人都是人，怎麼會不在真理中過活呢？

所以，不肯科學而理性的面對人生，寧可以哲學代替科學，造成了白髮蒼蒼老哲學家，比少年市井更不近真理的遺憾。古人所謂「只在此山中，雲深不知處」，正是多數人追求真理過程中的寫照。

哲學與思想（1999.7.12）

哲學和思想，在一般人心中並沒有大差別。但是我對這兩個名詞，卻有很深的，定義上的堅持。

這兩個名詞最早引我注意，是念書時候錢穆先生的說法。他不只一次在課堂上說「中國只有思想家，沒有哲學家」。當時我對這句話印象深刻，卻沒有深思。後來，在社會上久了，便玩索出一些其中的道理。

哲學和思想，有很多的不同。攏統的說，哲學是一種重視框架（framework）的學問。它是有體系的，有結構的思想。因此，它包括的範圍大，有一種結構之美。這種美感，是哲學吸引人的地方。然而，正因為它的完整性，它不能避免牽強的部分。也即是說，哲學為了遷就完整，而變得牽強。如果一種想法中有牽強的部分，那種想法就不會很實際。這種不實際，我們常常稱它為理論性強，或者理想性強。

因此，哲學家常常有相對固定的形象。他們是坐鎮書齋，思考而不行動的人。或者他們也行動，但是他們行動的準則，和他們思考的準則並不一致。因為思考之所得，在他們而言，是一種美的、創造性的事物。美的東西並不是真的東西，並不需要拿出來受社會檢驗。

思想則好像有所不同。思想，沒有那麼大的，對於完整性的要求。它的體系不那麼清晰，但是它有目的性。為了政治、經濟、軍事、文化等等的目的，思想家們思考各種可能的方案。他們的思考方式，以實用為歸依，而不以建築美麗的形上思惟架構為歸依。事實上，不是每一個人都懂哲學，但是每一個人都有思想。並且，每一個人都依據自己的思想方式，過自己的生活。我們甚至可以說，每一個人都是思想家。只是專業的思想家們，能夠把話說得更清楚。

我想，錢老師的意思，是指中國（尤其是先秦時代）的思想家們，都把他們的思想層次，落實在現實的人生上。無論儒、道、墨、法，諸子百家，都面對實際人生，為人生勾勒出可以實際運作的藍圖。到了後代，我們也常說某人是某家人物。可見中國思想的實用性，一向極受重視。

明朝的王陽明，提出了知行合一的說法。我以為，他也提出了一種檢驗真理的方法。任何想法，若是經不起實際行動的檢驗，不能實行，則它一定不是真理。畢竟，思考是一種理智的活動，它是求真活動，而不是求美活動。任何想法，若是只為了想法本身的完整和美感，那麼，它就不是理智活動，而是藝術活動了。

人類的進化，是因為人類不斷有求真的慾望，而不是有求美的慾望。在某些觀察之下，甚至求美是一種退化的，墮落的行為。當然，這句話見仁見智，更不應該由我這個學藝術的人口中說出。不過我對於人類的思考與行為，確有這樣的一種看法。

知識與力量（2000.2.10）

「知識即力量」這句話，記得是英國人法蘭西斯・培根（Francis Bacon 1561-1626）說的。這句話聽起來，好像有「知識是唯一力量」的感覺，而使一些人不能苟同。因為，世間力量的種類很多；例如政治、經濟、軍事都是力量，並且其力量的顯現均大於知識。持後者說法的人沒有錯。因為若是把知識孤立起來，其力量當然不能和政治、經濟、軍事相提並論。

但是，知識並不孤立；知識存在於一切力量之中。事實上，說「知識即力量」，不如說「知識是一切力量的根本」；因為一切世間力量如果沒有知識做後盾，都不會是一種堅實有效的（firm, continuous and effective）力量。也可以說，無論政治、經濟、軍事的堅實有效運作，都是其背後的政治知識、經濟知識、軍事知識的堅實有效運作而已。

所以，培根說「知識即力量」。我說，「知識是一切力量的根本」。沒有知識，一切力量都不能成為堅實有效的力量。

教室與教堂（2006.5.27）

我上課的時候，常喜歡跟學生講，我們來讀書應該抱著上教堂（無論任何宗教的教堂）的心情。教室與教堂有很相似的地方，它們都是精神活動的神聖場所。

到教室，企圖了解各種知識，目的是追求真理；到教堂，企圖了解各種人生意義，目的也是追求真理。換句話講，教室和教堂，代表了人類追求真理的兩種場所。我們到教室，應該和到教堂一樣，抱持著真誠和謙卑的態度。任何人無論在社會上如何壞，到了教堂的那一剎那，都是好人，否則不必來教堂；難道你還要和神談政治、談生意，勾心鬥角麼？一個心靈上渺小的人，面對法力無邊的神祉，有什麼可以隱瞞欺騙的呢？除了真誠和謙卑之外，沒有任何可以和神祉交換的事物。同樣的，教室也是如此。任何人無論在社會上如何呼風喚雨，進入教室以後，都是一個赤子，否則不必進入教室。一個知識上貧乏的人，面對浩瀚無際的知識之海，除了真誠和謙卑之外，任何社會上的俗陋姿態，都是多餘。

教室和教堂，都是追求真理的神聖場所，教室和教堂有什麼區分呢？那就牽涉到學術和宗教有什麼差別的問題。學術是人類極端理性的精神活動，而宗教是人類極端非理性的精神活動。無論理性與否，這兩種活動，是我們人生中少有的真誠活動，或者說，僅僅剩下的真誠活動。學術和宗教求真理的方式雖然相反，但是目的卻一致。因此，進入教室與進入教堂，是同樣神聖的事情。

經師與人師（2007.2.6）

父母親都是傳統藝術家。自小，我就常聽大人談論兩種不同的繪畫師傅。有的師傅只講繪畫技巧，技巧講完，也就沒得可講。有的師傅不大講繪畫技巧，而先從做人處事問題說起。他們認為技巧不是重點，重點是人格特質；以及往後這種特質如何反應在藝術作品上。前者接近讀書人所謂的「經師」，後者接近讀書人所謂的「人師」。

及長，接近了讀書環境與傳統讀書人。對於「經師」與「人師」，在知識傳授上的特點有了認識。基本上，一個教書師傅是「經師」還是「人師」，也並不是師傅的選擇；而是師傅的人格特質。當然，我們不好說「經師」型的師父都是書呆子，但是對於知識本身過分重視，而忽視知識與其他事情的關聯，是狹窄了些；古時候，大概就要說迂腐了些。而「人師」則不同，「人師」不可能沒有知識，否則他根本不能成師；不能進入師的行業。但是，「人師」的書必然讀得通透，必然有所深刻體會；並且這種體會常常超越本科知識，而與其他學術，甚至社會、人生發生連結。這種連結，不是很容易。它需要創造力（creation）與想像力，（imagination）需要把既有知識與相關知識做全方位的思索與聯想。（association）這種將既有知識和相關知識聯想與否的差別，就是「經師」與「人師」的差別。其間，當然有高下的不同。以傳統的國學領域而言，老人們總是用一種和緩的口氣來形容「經師」與「人師」。他們喜歡說，某人對「章句訓詁」有研究，某人對「微言大義」有心得。有研究自然不能和有心得相比；只是老人們話講有技巧，心思細得很。事實上，所謂「章句訓詁」，便是逐字推敲古書，而不失傳承之責。「微言大義」則偏重古為今用、鑑往知來；重視古人智慧如何應用在今日社會之中。

> 記得以前在密西根大學（UM）讀書，四川大學來的客座童恩正老師說「有一屋子的銅錢，也要有根繩子穿起來，才能帶出去。」（不過，這也不是他說的話，是他的兩個老師－徐中舒和蒙文通的對話）銅錢代表知識，繩子就是串聯的本領。

所以，「經師」與「人師」雖然有高下，但是也不能偏廢。自古以來，「經師」多，「人師」少。這個現象牽涉到學者的人格特質，牽涉到學者人格特質在整體學術人口中的比例。但是，這種比例，也確保了文化得以傳承，同時又能夠與時俱進，代代都有新見解。

然而，接受「經師」或「人師」的教誨，也並不能保證學生受教後的發展方向。因為學生願意接受何種教誨，也由學生的人格特質所指導；也受到其人格特質在整體學術人口中的比例所制約。我小時候長時間練武術。武術師傅喜歡說：「十年徒覓師，十年師覓徒」。遇見好老師難，遇見好學生也難。大概就是這個意思了。

學術科學相等義，人文自然當看齊
－我的研究方法論

（完稿於 2014年11月10日）

前言

本文主體，是（2008年）國立歷史博物館出版《藝術與反藝術－先秦藝術思想的類型學研究》的附錄。六年前，該附錄與該著作（本文觀念延伸出的十篇論文）受到「國故型」把關人士，在我的正教授升等公文上謾罵。那種凌人與不講理，已然是公然侮辱與妨害學術自由、妨害言論自由的法律問題。現在版權時效已過，把該附錄在雜誌上發表。讓社會大眾看看，這篇附錄文章，倒底有什麼驚世駭俗？倒底有什麼洪水猛獸？我極為普通的學術觀點，觸及了把關人士什麼痛處？這個事件，讓我深思台灣的學術環境與學術制度。五年來，我開始較為大量的寫作；基本上，便是受這些人士的激勵。在此誌之，以示感謝。

我始終不責怪那些「國故型」人士。只是非常好奇，他們在二十一世紀還能存在。至於說，我一個藝術史教授的藝術著作，怎麼會，風馬牛不相及地，送到那些「隔行」人士的手中呢？其行政上之機關

用盡，其人事上之千方百計，在法律界和教育部涉入以後，白紙黑字地明朗起來。我的工作單位中，透過行政與人事，參與該事件謀劃執行的諸同事們，六年來，也是激勵我寫作的貴人。於此一併致謝。

我的研究方法論

學術研究和科學研究是一件事；僅僅因為研究對象不同，而產生諸般學問－包括，產生大分類上的自然科學和人文科學。為什麼學術研究就是科學研究呢？這個問題，可以從正反兩個方向來說。

正向來說：科學的目的，在於求真。求真的好處，在於可以看清真相，勇於面對－面對真相，才有檢討反省的能力。面對自然真相並且檢討反省；則可以有效的利用自然。面對人文真相並且檢討反省；則可以有效的改進社會。這是科學的功用，也是學術的功用。當然學術研究即是科學研究。

反向來說：如果學術研究不求真，不講科學，那麼它要講什麼呢？自然學術不講科學，它對自然的解釋，就會跑到廣義的宗教（包括數術）那裡去。那是蒙蔽人眼睛，不讓人看清自然真相的學術。人文學術不講科學，它對社會的解釋，就會跑到廣義的政治（包括道德）那裡去。那也是蒙蔽人眼睛，不讓人看清社會真相的學術。無論自然或人文，凡舉不求真而美其名曰「求善」的學術，都不是獨立的學術。那些學者，都是利用學術，盼著「左巫右史」位置的學者。（今天，自然學者不講科學，是笑話了。人文學者不講科學，還不能算是笑話）

學術與科學等義，研究學術的方法，便要以科學為依歸。以科學為依歸，也就是以邏輯為依歸。邏輯無所不在，邏輯不需要區分什麼學科－所有學科的研究方法，本質上都沒有不同；所不同者，是研究對象的不同。下面要談的問題，偏向藝術史及歷史；但是對於其他領域的學術，或許也有些參考價值。我一共提出六個問題。

一　主軸觀點

主軸觀點的建立，是研究工作上重要的事。主軸觀點就是較為固定的思想模型，（model）根據這種模型，去觀照各種研究資料。主軸觀點（或者模型）也可以說是一種研究角度；通過一種較為固定的角度，去檢視資料與建構資料。如果沒有這種特定角度，那麼研究便會落入隨性發揮，而不能成為容易理解的學術。司馬遷說，研究歷史要能夠「成一家之言」。那種一家之言，那種能夠被分辨為自家（而非他家）的言論出現，便是因為作者有自己的獨特研究角度，並且這種角度很容易辨識，與他人不一樣。

至於我的主軸觀點是什麼？我的觀點偏向唯物，但是又並非單純的以經濟來解釋歷史；而是把事件發生的原因理由，推向更為原始基本的情境，以求合理答案。也許我的特殊觀點，可以稱之為「生物史觀」。（以別於道德史觀、經濟史觀等等）我認為人是生物，是一種靈長類；人類的歷史，即是這種靈長類的歷史。人類所有活動的內在邏輯關係，都受到該生物基本習性的制約－指向求偶、覓食的需求與貪求。（需求與貪求之別，或即是動物和人類的生活分野）只是這種制約反應不容易看見，因為我們是高級的、有文化的靈長類。我們懂得包裝和掩飾。

二　原始資料

史學研究，向來重視直接史料與間接史料；或者說，一手史料與轉手（包括二手至無數手）史料。理論上，直接的一手史料，最能反映歷史發生時的原始狀態。史料經過轉手，便可能有散失有補輟。這種經過增減的史料，不能夠準確的呈現歷史原貌。同時，史料經過轉手，轉手者每每對史料有所解釋。這種經過解釋的史料，（通過專書、論文、雜文、筆記等等方式傳播）閱讀起來，難免受他人觀念所影響。該影響若是始終停留在參考價值層面，自然是好事；然而一種觀念的契入，常常深植人心而無法跳脫踰越，以致於不能再產生新觀念與新見解。

我的讀書過程中，能夠停留那樣長時間在學院裡，支持我的，始終是對考古學的愛好。雖然後來在工作上與研究上，並沒有與所學完全合轍，但是考古學對我的影響難以估計。考古學的資料來源，基本上都是通過科學發掘的一手資料。而考古學家中，有一種人物與其工作最獲尊敬，那便是親手獲致一手資料的發掘者與其田野工作。（field work）這種對一手資料的堅持，使得考古學成為一種科學。對於非考古學的研究而言，這種態度之延伸，就是應當重視原始文獻（原典原籍）的閱讀。這種態度，類似自然科學中的基礎科學研究。它會使工作進行緩慢，但是提高了研究品質和原創的可能性。

三　設定問題

重視原始資料的目的，是為了通過重新檢視資料而獲得新發現；而新發現的獲得，是因為我們能夠提出新問題。但是，提出新問題並不是容易的事情。特別是當我們大量閱讀了他人的作品之後，我們的思緒為他人的思緒所引導。當我們贊成他人的時候，我們的問題與答案，同他人一樣；當我們不贊成他人的時候，我們的答案與他人雖不相同－我們的問題，卻仍然與他人一樣。這種情況下，我們至多在同一問題下，提出不同答案；然而我們提不出新問題，以及隨之而來的新答案。

對我而言，新問題與新答案，不是從他人的研究中得來，而是從審視原始資料（原典原籍）中得來。我的這種說法，和一個歷史人物的說法頗為相似；那就是1900年諾貝爾文學獎提名人，世界知名的法國昆蟲學家法布爾博士（Jean Henri Fabre）。法布爾在與微生物學之父巴斯德（Louis Pasteur）見面後，看見巴斯德對於蠶的生態完全不了解，竟然敢接下拯救法國養蠶業的重大研究，最後獲致了驚人成功。法布爾受到了巴斯德極大震撼，並且在《昆蟲記》（*Souvenirs Entomologiques*）中這樣寫下他所受到的教誨：

> 應孜孜不倦地與事實進行探討，這比藏書豐富的書櫥有用得多。在許多情況下，無知反倒更好，腦子可以自由思考，無先入為主，不致陷入書本所提供的絕境。
>
> 我很少看書。與其用翻閱書本這種我能力不及的耗時費力的辦法，與其向別人討教，倒不如自己堅持不懈地與我的研究對象親密地接觸，直到讓它們開口說話為止。我什麼都不清楚，這樣反倒更好。我的探詢也就更加地自由，可以根據已獲知的啟迪，今天從這方面去探究，明天則進行相反思維。

他的這種說法，講的是自然科學；我講的是人文社會科學。但是我相信，我們對於習以為常的東西，是常常視而不見的；更何況是，能夠發現新問題提出新答案。我們對於陌生的東西，反倒是深具好奇心而願意多加觀察。如果我們懂得利用這種天生的習性，便可以在學術上發現很多問題；進而有興趣的、持續的進行研究而獲致答案。所以，跳過各種相關研究，而直接接觸原始資料思考原始資料，不但可以避免落入固定現成的思考框架，也可以激起我們對於資料陌生而產生的好奇心。這種好奇心，在我們認真審視資料而發現新問題時，有絕對的幫助。

四　見識見解

做學術研究，便是希望提出見解，解決他人尚未解決的問題。理想的文獻學研究過程，應當是回到事件的一手資料之中，與一手資料相對話；跳脫他人的觀念影響，用自己的獨特主軸觀念觀照資料，提出他人所未曾提出的問題。然而，研究的最終目的，畢竟是根據自己的見識，提出見解；也就是找出問題的答案。事實上，前面一項至三項的研究方法，是理論性的研究步驟；是可以視之為結構性流程，而置諸任何研究項目的固定方法。但是第四項，因為見識而提出見解這個最後步驟，卻沒有一定方法可以依循。換句話講，每個人都可以套用前面的三項方法，但是最後答案的提出，卻是見仁見智。答案的不一樣，可以完全以「見仁見智」來解釋嗎？還是這裡面有因為見識不同，而導致見解高下的情況呢？我傾向於後者的說法。但是，見識又是什麼呢？

見識，是一種很綜合性的判斷力；（judgment）這種判斷力的形成，可以根據經驗，也可以根據學習。學者的判斷力，多來自於學院學習與理性分析；一般人的判斷力，多來自於社會經驗與本能反應。

學者的判斷力強過一般人嗎？這是個可以深思的問題。我以為，學者經過訓練之後，對於有邏輯性的資料，能夠顯示出超過一般人的判斷。但是，學者對於不具邏輯性，非理性的資料，卻顯示出低於一般人的判斷。因為，學者不習慣非理性的資料；他們必須將非理性的資料邏輯化後，才能夠加以判斷。也因為資料的邏輯化過程，學者判斷總是較一般人慢半拍。或者，因為邏輯化過程，而根本扭曲了原始資料的意義。那麼，學者就要出錯，就要顯示出錯誤的判斷了。

對於這種現象，學者鮮少有自知之明。學者多半不知道他的邏輯判斷，不能夠應付這個並不邏輯的世界。在現實的世界裡，學者常常反應慢或者反應錯，就是因為他們不能分析一種不邏輯的事物。學者的見解到底有否實用價值，在這裡便遭到質疑了。

對於這個問題，我總是以知識判斷與常識判斷，來形容學者與一般人之不同。學者根據知識－邏輯化的知識來判斷事情，形成見解。一般人根據常識（包括本能）來判斷事情，形成見解。這裡面，恐怕不只有見解高下的問題，還有見解對錯的問題。學界在西方被稱為象牙之塔，（the ivory tower）主要便是因為學者的見解是由細緻、嚴謹甚至華麗的邏輯關係堆砌而成；那些見解，對於那個真實而不邏輯的世界而言，並沒有很大價值。

學者經過長時間的學術訓練，怎麼會在見解上不見得高明呢？我認為其原因，在於學者吸收了過多的知識，而漸漸遺忘了常識；更排斥本能。西方還有一句話形容飽學之士：「累積了越來越多的知識－集中於越來越少的項目」。（know more and more about less and less）正因為知識的愈來越專門，學者們對於知識的定義也異於常人。學者認為只有邏輯化的知識與專業性的知識，才能夠算是知識。這種態度，自然忽視普遍知識，忽視常識判斷；忽視本能判斷。

真正的判斷，只能夠是本能判斷和常識判斷。真正見解的形成，只有依據本能與常識。專業知識與邏輯分析，都是累積資料與分析資料的利器；但是那僅只是過程。建構這個過程的本領，學者遠遠超過一般人。然而，當資料收集與分析之後，學者要將頭腦回到由本能和常識主導的狀態，提出由本能與常識主導的見解。因為，本能判斷才是合於常情的判斷，常識判斷才是合於常理的判斷。

經過長時間邏輯訓練後，學者要恢復對常識與本能的記憶，簡單辦法，便是多接觸社會。古今中外有成就的學者，無論自願與非自願，莫不走出學院擁抱社會。我有一種學院不等於學術的說法，可以作為參考。

> 學術等於了學院，在觀念上是一個可怕的事。學術不但被學院包辦，並且學院外的學術，因為沒有學院保護，便得不到正當地位。所以，一般人總以為有學院背景的人，就都有學術。而有學院背景的人，也總以為學院之外的學者，都是野狐禪。
>
> 事實上，就一件事的形式與內容而言：學術是各種的思考活動，是內容，而學院（派）是形式；並且，還只是思考方式中較為刻板的一種而已。若是學術學院二者同義，思考的方向方法就固定了。學術就失去自主地位，失去活潑內容，而僅僅留下了空洞形式。(《青演堂叢稿》)

五　文字表達

孔子說「辭，達而已矣」。我以為文字之於學術，這個道理尤其重要。文字形式，可以分為抒情文、記敘文、論說文三種；換成中國傳統說法，正好與文、史、哲三種思考方式相對。「辭，達而已矣」的意思，是說文字的目的是溝通，並且僅只是溝通而已。對於記敘文、論說文－這兩種訴諸理性的文字而言，文字簡單，能夠使讀者容易了解作者想法。文字簡單，這種使讀者方便愉快的動作，是作者是否能夠普遍的將其思想傳達出去的首要原因。

十餘年前，我剛從美國回來。大學裡一位女學生在課堂裡說「歷史能不能流傳，在於我們讀不讀歷史」，給了我相當大的震撼。這個有點威脅、有點市場取向的說法，是一種真理。文字的簡單與否－能否讓讀者願意閱讀作者思想，是文字流傳過程的起始點。若是文字閱讀起來非常困難艱澀，再好的思想也不得傳布；因為，沒有人願意閱讀。

我還記得讀高中時候，我的中文老師王亞春女士；她是當時非常少數任教於高中的北大碩士。她不只一次說她不喜歡韓愈，因為其文字詰屈聱牙。這個又難寫又難念的成語，我一直記到現在。當時，我就想過一個問題－韓愈的排佛理想不得成功，是不是多少和他的文字艱澀有點關係？和他的表達能力有點關係？

一般學者把文字弄得很難懂，有幾個原因：第一，賣弄。我曾經親耳聽到一位學者說「我不這樣寫，你們怎麼知道我有學問？」第二，受到英文文法的影響。中國在二十世紀初期，推行白話文運動。

講話和寫作的文法不相同，也並不是只有中國如此。推行白話文，是希望將講、寫的文法合而為一，將文法與語法合而為一；這樣，文化和教育的推行便能更快速有效。然而，當英文（或其他外國語文）在中國流行以後，中文文法普遍受到外文文法影響。這種混合了中外文文法與語法的文字，我稱之為「新文言」。那不是能夠為所有人了解的文字；對於一般人而言，它和文言文一樣難懂。第三，把溝通本身看成了創作。很多學者有這個問題，文字對於他們而言，不是溝通工具，而是創作；他們把思考當成創作，把寫作也當成創作。這種態度的分寸很難拿捏；可能很有可讀性，也可能讓人不忍卒讀。

在學術研究上，無論什麼理由使得文字難懂，都要避免。道理儘管深奧，文字必須淺顯；深入淺出、雅俗共賞才是學術文字的最高境界。學術已經是少數人的事情了，何必在文字上弄得艱澀，令人更為望之卻步呢。

六　寫作形式

在談論研究方法的最後，我要說關於寫作形式的問題。我認為寫作沒有形式，形式和形式主義之間的界線很容易不小心跨過；我很不喜歡形式主義。

學術講究固定形式嗎？學術不講究固定形式，學院才講究固定形式；這裡又回到前面引文的學術與學院問題了。如果說學術研究要求什麼形式，我寧可說學術要求講理明白的形式。學者能夠把話講得明白，是一種重要的表達形式；這種表達形式，倒是學者需要堅持的形式。但是，學界一般所講的形式不是這種形式，而是寫作格式。

學術寫作有固定的格式嗎？一種好的學術見解，可以因為寫作格式的特殊，而受到輕視嗎？一種很不好的學術見解，可以因為寫作格式的合乎標準，而受到重視嗎？寫作格式不是評定學術的標準，而是學院的圍籬；用以區分、保護學院學者的圍籬；是不讓人隨意進出象牙之塔的圍籬。

寫作格式建立的原始目的，是為了有效的把話講清楚。因為清楚的表達思想，是學者的本領和工作。在這種立意之下，寫作格式當然有其存在必要。也因此，所謂學術格式，絕對不是一種特定的格式；能夠清楚講理的格式，都是可以被接受的學術格式。如果僅認定一種特定的格式才是學術格式，同時以之作為畫地自限、區分派別甚至相互攻擊的武器。那麼所謂的學術寫作格式，就是單純的、無聊的形式主義問題了。

儒家學與禪家悟
－談談求知的模式問題
（完稿於 2009年11月14日）

學與悟的對立

儒家非常強調學。學這個字，好學這件事，在《論語》一書中屢屢出現。甚至《論語》的第一章第一節，就以「學而時習之不亦樂乎」開始。此後，學生、學者、學問等等辭彙相繼出現。學，已經成為中國知識份子的主要工作。

佛教在中國，一般而言有八個宗派。不同宗派，有不同的修行方法。有的宗派講究神祕經驗，有的宗派講究智慧獲得。在智慧獲得這個方向上，因為距離宗教遠距離思想近，深獲中國知識界青睞。其中，尤以禪宗所說的悟，最為人所樂道。

自從禪宗把悟的觀念介紹給中國以後，悟和學有對立起來的味道。似乎學屬於知識問題，它是緩慢、漸進而累積的。悟屬於性靈問題，它是快速、驟然而跳越的。

這種對立－或者說求知方法上的劃分，確也有其道理。但是，它忽視了學與悟的階段性功能，忽視了學與悟的相互關係；武斷地把中國思想與印度思想，在一兩個字上，就簡單的做了一刀切。對於這個問題的深入了解，應該從學、悟的基本定義上入手。

學是怎樣的活動呢？學就是增加；從無到有從少到多，它是緩慢而長期的知性活動。悟又是怎樣的活動呢？那就比較抽象而不易了解了。悟當然也是知性活動，然而它有很強的即興、偶然性格。悟到底是什麼呢？自古以來有很多解釋，希望給悟下一個定義；不過總是繞著圈子，難以讓人滿意。

悟即聯想說－四位書家舉例

文化的隔閡，經常是因為語言、術語的隔閡。我以為悟這個觀念，在西方世界中也曾被屢屢提及，也曾被屢屢運用；那就是藝術上所謂的聯想 association。聯想是和想像 imagination 很接近的一種藝術經驗。聯想這個看似洋派的術語，在中國古代也有接近的說法，稱為「遷想」。因為聯想而得出心得，叫做「遷想妙得」。該說法最早可見於東晉顧愷之的〈魏晉勝流畫贊〉。

禪宗的悟和藝術上的聯想（遷想）同等義，是這樣麼？下面用藝術史上幾個書法家－王羲之、張旭、黃庭堅和鮮于樞為例，說明這種想法。這四個大書家，都在具備深厚（書法）「學養」後，因為「開悟」，而有了藝術上的大突破。

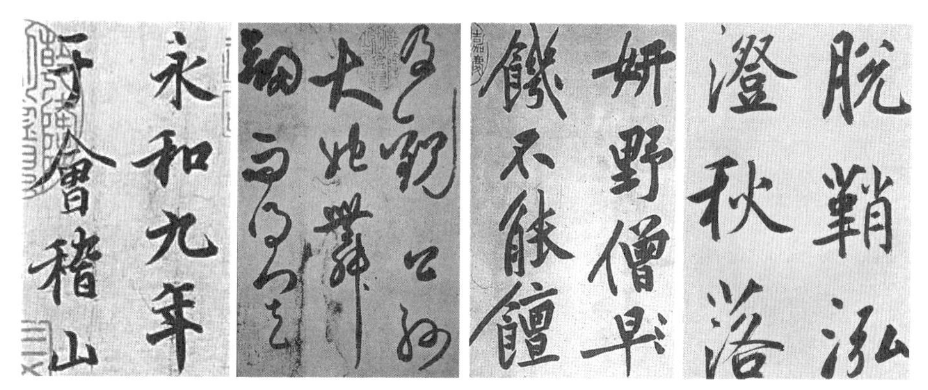

王羲之《蘭亭敘》局部　張旭《自言帖》局部　黃庭堅《松風閣》局部　鮮于樞《透光古鏡歌》局部

1 東晉王羲之具書聖地位，但是創作過程中也有瓶頸。他曾經「觀鵝」－看見鵝划水，而體悟出書法的道理。王羲之悟了什麼呢？他只是因為鵝的划水動作，而聯想到書法的一些問題。鵝和書法沒有關係；二者發生關係，是因為王羲之把它們聯想在一起。鵝向後划水，但是向前游動－向前是果，向後是因。王羲之看見力量的因果相對，以為可以運用在書法上面。

2 唐代張旭號稱草聖，喜飲酒。（杜甫〈飲中八仙歌〉中有張旭「三杯草聖傳」句）張旭書法境界的提高，也經過了悟的階段。張旭的悟，來自「公孫大娘舞劍器」與「公主與擔夫爭道」兩件事。劍器，即是彩帶。張旭看見彩帶飛舞，聯想到草書線條的流動。爭道，即是爭走道路。張旭看到二位身份懸殊的人爭走道路時心理矛盾，而聯想到書法間架、行氣、章法的各種安排。

3 宋代黃庭堅是大詩人，和蘇東坡齊名；在詩史上號為「蘇黃」。蘇、黃二人，也是書法史上「宋四家」的其中之二。黃庭堅曾經看見船伕「盪槳」，而悟出用筆的方法。槳和書法沒有關係；二者發生關係，是因為黃庭堅把它們聯想在一起。黃庭堅的「盪槳」和王羲之的「觀鵝」很類似。也許，他的「盪槳」說法，受到王羲之一些影響。

4 元代鮮于樞是藝術史上少數的胡人書法家，其成就和趙孟頫相當。據說，他是商朝箕子的後代。鮮于樞見到車夫「挽車泥中」，得到靈感與啟發－車夫利用車輪最小摩擦力，使車子前進；但是，車子受制於泥濘的最大摩擦力，而不得前進。車夫對於這兩種力量的平衡和駕馭，讓鮮于樞聯想到書法藝術的諸般微妙。

上面談了四位書家的開悟過程；是想用比較輕鬆的方式，說明悟這個深奧難懂的字，其實就是聯想（遷想）。就是把兩種看似不相關的事物，因為其間的相同道理，而貫穿、貫通在一起。明白悟的真正意涵後，前面說的學、悟關係和求知階段性問題，便又可以重提了。

學而優則悟－學與悟的統合

學與悟，不應該也不可以對立，因為它們是知性活動的兩個階段。學為前段－累積可資比對、聯想、貫穿的資料。悟是後段－把已有的資料，加以比對、聯想、貫穿；以求得共通而普遍的道理。（好像科學家得出公式一般）

> 當然，這兩個階段並不必然彼此銜接。學，靠著刻苦毅力即可完成；悟，則需要有特殊的聰慧天份。所以，本段落題目訂為「學而優則悟」。一來開開「學而優則仕」者的玩笑，二來說明悟這件事，確實要比學來的困難許多。

儒家講究學；孔子好學，是儒家學者的榜樣。但是，聯想（遷想、悟）的道理，也常常被孔子提及。例如《論語／為政》上說「學而不思則罔，思而不學則殆」。思，應該就是聯想。若是不能聯想，一切所學事物便要孤立－每次遇到新事物，都要重新學一次。若是能夠聯想，則不需要次次學習－靠著聯想力的運作與發揮，即可對新事物有所了解。孔子說「舉一隅不以三隅反，則不復也。」即是闡述這個道理的好例子：知道桌子一角是方的，不能聯想到其他三角也是方的，連誨人不倦的孔子也懶得繼續教誨。因為，那真是冥頑不靈，執迷「不悟」。

清楚學、悟二字的階段性關係，孔子最得意的「吾道一以貫之」，就更有意義了。「一以貫之」譯成白話即是：以一種共通的道理貫穿所有事物。也可以引申為：掌握一種共通道理，就掌握了所有事物的道理。

> 「一以貫之」這句話，孔子說過不止一次。在《論語／里仁》中他說「吾道一以貫之」，在《論語／衛靈公》中他說「予一以貫之」。可見他對貫穿、貫通的重視。

知性活動的世界裡，能夠「一以貫之」，真是最高的聯想（遷想）境界了，真是最高的悟境了。孔子不但講究悟，對悟的理解也不在禪家之下。

說完儒家對學、悟的兩階段態度，再說說禪宗對學、悟兩階段的態度罷。禪宗一向給人精靈古怪的印象，似是不看重學，而獨獨主張悟－立地成佛，（剎那間便可成佛）大概是造成這種印象的重要原因之一。事實上，禪宗自唐代開始分為南北兩宗；南宗惠能主頓悟，北宗神秀主漸悟。因為各種原因，南宗在中國盛行；南宗的頓悟－剎那間的悟，也成了開悟的正宗。對於北宗的漸悟－緩慢而逐漸的悟，似乎既不重視也不研究了。（我深深以為，中國不重視北宗，而神秀北宗卻在日本發揚光大。日本文化表現出的精細慎密，也許都和這一支禪宗有關。這是題外話，盼再另文表述）

開悟可以緩慢而逐漸嗎？其實北派禪宗的悟，和儒家的學很接近－要求慢慢的累積小悟，等待大悟。我們不是也喜歡說修禪、習禪嗎？修與習兩個字，就是北宗強調的緩慢開悟方法－雖然是小悟、漸悟，卻為頓悟做好了準備。原來，北宗強調的漸悟，只是求知活動的前段。南宗強調的頓悟，只是求知活動的後段。在不爭南北名份下，正確的禪宗功夫，應該是漸修頓悟－先累積後聯想。

> 禪宗這種漸修頓悟的完整功夫，原本方法周延。可惜因為南宗的盛行而破壞了，特別因為《法寶壇經》的流通廣布而破壞了。《法寶壇經》中，惠能和神秀各作一偈，表明程度。神秀作偈曰「身似菩提樹，心如明鏡台，時時勤拂拭，莫教惹塵埃。」惠能作偈反駁曰「菩提本無樹，明鏡亦非台，本來無一物，何處惹塵埃。」這兩首偈語深入中國人心；似乎南宗惠能聰明有才，而北宗神秀成了一介愚人。這種偏頗的認識，使得中國禪宗逐漸空洞輕狂起來，那種老實的漸修功夫，便為人所淡忘。

禪家和儒家，不同歸（人生旨趣不同）卻並不殊途。儒家主學，但是有思、貫的工夫；禪家主悟，但是有修、習的工夫。儒家、禪家在求知的方法上，都兼顧學與悟。兼顧學與悟，才是完整的求知模式。中國、印度雖然各處東西，但是思惟理路並沒有很大的差異。本來麼，佛性尚不分南北，人性又何嘗有東西呢？

附錄　關於四位書家的開悟（聯想）分析

我的專業之一是藝術史，所以本文完成後，難免又想到文中的四位書法家。他們雖然都因為開悟、聯想，在書法上有進境。但是他們的聯想對象，卻有很大的差異。這種差異，來自於偶然？（看見鵝、劍器、公主擔夫、車、槳的偶然機會）還是來自於書家精神活動的不同層次？這是個有趣的問題，我多想了想，有一些說法。這些說法對本文而言，過於離題；所以放在最後以為附錄罷。

首先。「公孫大娘舞劍器」的聯想層次最低。彩帶飄舞和草書動勢，是一種外在形式上的類似。這種形式類似所引起的聯想很浮面：因為彩帶和草書「看起來」很像；所以草書應該寫的和彩帶飛舞一樣。這種由於「看起來」很像，而引發的聯想，是一種單純的形式摹仿；沒有什麼思想理念上的問題。

其次。「觀鵝」和「盪槳」的聯想層次比較高一些。鵝、槳和書法，沒有外在形式上的類似，而是內在本質上的類似。鵝和槳的動作，涉及了物理上作用力和反作用力的問題。如果書家從這裡聯想悟入，他們的書法線條，就不再是簡單的單向線條；他們的線條看似由左至右，由上至下；其實有由右至左，由下至上的動作和力量蘊藏其中。也就是東漢蔡邕〈九勢〉中的「左右回顧」、「欲左先右」那幾句話的具體呈現。這種悟入，觸及對物理世界的抽象理解。這種開悟，層次超過「公孫大娘舞劍器」很多。

再者。「挽車泥中」的聯想層次又高一些，超過「觀鵝」和「盪槳」。因為，「挽車泥中」不但說明了「車輪」、「泥巴」的關係－物理規律中作用力和反作用力的問題，（摩擦力和阻力的問題）它還說明了「挽」與「車輪」、「泥巴」的關係。「挽」，是人為的力，具有調和物理力的功能。「車輪」和「泥巴」是物理的對抗和矛盾。但是加入「挽」的人為動作，便整合起來了。車夫可以統一、駕馭那兩種矛盾的物理之力，車子就可以脫困，就可以繼續往前行走。這種悟，層次太高了。書家如果掌握這種道理，而運用在書法上，那就有《莊子／庖丁解牛》中「道進乎技」的游刃有餘味道了。（原文是「臣之所好者道也，進乎技矣」）

最後。說到「公主與擔夫爭道」。「觀鵝」「盪槳」和「挽車泥中」，都是天理（物理）上的悟。而「公主與擔夫爭道」，是人欲（心理）上的悟。它展現的不是調和的物理，而是鬥爭的人慾。難能可貴之處，是這個悟（聯想、遷想）的過程中，很有一些詼諧玩世的意思…

公主和擔夫怎麼能夠爭道呢？男士怎麼可以和女士爭呢？這是西方的騎士精神了。在中國古代，要反過來講，女士怎麼可以跟男士爭呢？但是，這位女士並不是一般女士，她是一個高貴的女士。那位擔夫也不是一般男士，他是一位卑賤的男士。公主與擔夫，背負著古代男女觀念、階級觀念；怕是兩人都想爭，卻都爭的不是那麼理直氣壯。加上這個道，二人需要相爭，應該是個僅容一人的小道罷？這個小道上，能夠出現擔夫；應該是個四下無人的荒郊小道罷？荒郊野外的場景一出現，戲劇性就更加濃厚了。公主因為身份而氣盛，因為性別、環境而心虛。擔夫因為性別、環境而氣盛，因為身份而心虛。這個充滿心理矛盾的爭執，至此出現了淡淡的喜感。至於，他們到底是爭不爭呢？誰爭贏了呢？沒有人知道。這個「無知」，是真正的高潮，是張旭對人生（書法）體悟的最後轉折。

歷史的限制－從史家和史料說起

（完稿於 2015年3月14日）

傳統上，中國人不質疑歷史。（民國顧頡剛，是一個特例）一個存在數千年的學問，必然有存在的道理－歷史麼，就是過去發生的事，就是史家紀錄下來的事；有什麼可質疑的呢？今天是一個科學時代。科學並不預設答案，但是堅持過程：過程是科學的，就會有接近真相的答案；過程不科學，就不可能有接近真相的答案。為了因應科學潮流，學院派歷史，也納入了人文科學、社會科學領域之中。既然披上科學外衣，史家便要面對科學過程這個問題，便要捫心自問：歷史是怎樣紀錄下來的？它的紀錄過程，是不是科學？

史家問題

歷史，是史家根據史料紀錄下來的。（如果不根據史料而自述其意，那就是文學而不是歷史－可以直接稱為歷史小說，或者小說）歷史的紀錄過程中，有史家和史料兩件事介入。首先看史家部分。

史家是專門紀錄歷史的人，理論上，他們都受過專業史學訓練。不過，所有學院的史學訓練，都集中在史料介紹上－史料有哪些、在哪裡找到史料。把這些事弄清楚，已經花費很多精力與時間了；至於說如何寫歷史，則不是史學訓練的重點。事實上，如何寫歷史，會不會寫文章，都不是史家的根本問題。史家的根本問題，有下面幾項：

一，史識問題。史識就是史家的見識。見識這件事，和一個人的智商沒有關係，和一個人的生活閱歷有關係；所謂「見多識廣」一點不錯。至於說如何「見多識廣」呢？除了廣泛和社會接觸外，沒有任何辦法。一個人多讀書，只會成為書呆子，絕對不會「見多識廣」。這一點，是絕大多數史家不肯承認的。因為，越專業的史家越是鎮日書齋，越是不和社會廣泛接觸。西方的史學之父希羅多德，不因政變遭放逐，寫不出《歷史》。中國的史學之父司馬遷，不因宮刑受侮辱，寫不出《史記》。這些事情，都是史家眼中的「趣談」而不是史家眼中的標桿。接觸社會（無論結果正面負面）是史家獲得史識的唯一途徑，但是史家多「不好此徑」。中國說「兩腳書櫥」西方說「象牙之塔」，東西方讀書人的問題，完全一樣。

二，史觀問題。史觀和史識有點像，又不大一樣。史識是史家的歷練修養，史觀是史家的觀察角度。史家講史觀很像藝術家講風格，最好大家都不一樣。但是建立獨特史觀何其容易？有史觀的史家，必須具備才氣。（就如藝術家要有才氣，才能建立個人風格一樣）並且，史家難能獨立作業，得要有所依附；要得有一個機構「供養」。（換句話說，就是靠教歷史、寫歷史賺錢）如果，一個史家建立自己的觀察角度，但是那個「供養」機構（也可能是好多機構形成的社會氛圍）不允許該角度存在：認為該「個人史觀」無益（或者不利）社會需要。在「供養」機構表達不同意見的這個關鍵點上，自古以來，史家能夠保持清醒，（清白）堅持「個人史觀」對抗「集體史觀」者，少之又少。

> 我三十幾歲時候，一個有地位的史家跟我說：「時代不同了，現在做學問單打獨鬥不行，要搞集體」。幾十年後，我寫了一篇小說〈天堂的規矩〉刊在《國文天地》上，表示我對這種態度的意見。

歷史，由史家根據史料所撰寫。史家的史識不足與史觀苟且，造成歷史的可信度受爭議。而史識與史觀的問題，顯見又都圍繞在史學機構－這個「製造歷史」的怪獸身上。史學機構的存在，使得史家不需進入社會，以增史識；（也可以說是因為偷懶）史學機構的存在，使得史家不能、不肯抗拒機構，表達史觀。（也可以說是因為飯碗）這種情況下，要史家寫出公允有見解的歷史，真有點緣木求魚。暫時拋開史家問題，看看史料問題罷。史料的問題，並不少於史家的問題。

史料問題之一

基本上，史料可以分為三種：文字、文物與口述。首先說文字。

文字史料是最正統的史料。在中國，文字紀錄的歷史，被稱為「信史」。（可相信的歷史）然而「信史」－文字記載的歷史，是不是真正那樣可信，有很大的疑問。

文字，是人類發明的表意符號，（無論聲符意符，目的都是表達意念）是思想與語言的延伸。也可以說，文字是人類主觀意念的具象化。既然主觀，它就具有兩種相反的個性：可以純然理性－例如科學家的文字紀錄；也可以純然感性－例如文學家的文字遊戲。最讓人疑惑的文字，不是科學家的文字，也不是文學家的文字，而是史家文字。因為，它到底是理性的還是感性的，很難掌握分辨。而史家文字的理性與感性，直接關係到歷史紀錄之真偽。

對於這個問題，我最喜歡舉《史記》與《春秋》為例。《史記》大家愛看，是因為文字感性。但是，《史記》一書中處處可見「引號」，(特別指〈本紀〉〈世家〉〈列傳〉) 就讓人值得深思。「引號」就是對話，對話就是對白；對白，是戲劇與小說的特色。過去發生的事件，(遠至千百年前) 可以細緻到把對話紀錄下來麼？《史記》中的對白，是《史記》受歡迎的一大主因；人物活靈活現，如在讀者左右。司馬遷把《史記》寫的像歷史小說，(史家論述，反倒像圍繞著對白的旁白) 這是他之所以偉大的地方。他的紀傳體歷史有戲劇性、文學性。不過，這種文體讓文字性格 (感性或理性) 模糊不清。讓人對歷史真假，(特別是細微之處) 難以臆測。

至於《春秋》，那是現存最早的編年體歷史，寫法和紀傳體完全不同。《春秋》依照年份，一年一年的記載發生大事。這種文字很理性，但是生硬；讓人不願閱讀 (沒有可讀性) 而僅具參考作用。這種文字，是歷史寫作的正確方式麼？這種文字紀錄，都是真實的麼？那就要從《春秋》的作者說起了。

《春秋》是孔子根據《魯史》所作。他的寫作方法，叫做「筆則筆，削則削」，也就是「應該留下則留下，應該去掉則去掉」。這句話聽起來很有氣勢，甚至很有正義感。可是，什麼是「應該」呢？「應該」的標準是什麼呢？孔子的標準是別人的標準麼？孔子的標準，勝過別人的標準麼？「筆則筆，削則削」顯示出無比的主觀霸氣。孔子要把歷史，寫成他認為「應該」有的樣子。這種態度，除了在寫《春秋》時如此，在檢閱古代典籍時也是如此。「刪詩書」是孔子的學術成就之一；(《詩經》問題在此不論) 刪就是刪除，也就是把《書經》史料，刪除掉不「應該」留下來的部分。這些史料，後人再也看不到了，到底「應該」不「應該」去掉，也永遠沒有人知道了。孔子做過魯國的大司寇，也代理過魯相；以魯國行政官員身份，而非史官身份，去「削」「刪」文字史料。這種被行政官員改動過的歷史，真實性又如何呢？（孔子尚未在魯國作大官前，恐怕沒有資格改動魯史）

這樣看起來，感性或者理性，並不是文字的最大問題－文字是人寫的，人是主觀的。文字經過人為操弄，無論感性理性，都和客觀真實很有距離了。個人立場的難以避免，是文字史料的真正致命傷。（司馬遷對這個問題說的最好；即便清楚了「天人之際」「古今之變」，最後仍然不過是「一家之言」；仍舊是表達了個人立場而已。大多數人，看見這句話的氣魄，看不見這句話的無奈）

史料問題之二

文物史料與文字史料相對。傳統上，文字史料是正宗，文物史料是輔助。但是，由於文藝復興以來，科學漸漸主導學術。（也就是最前面說的，要求科學過程那件事）任何學術研究，都講究「眼見為憑」seeing is believing。文字紀錄的歷史，也是一樣。（所以科學興起，宗教最受衝擊。所有宗教的經典，都是文字紀錄；在 seeing is believing 的要求下，大家也很想「眼見為憑」一下，很想看看神明的樣子）西方的考古學（archaeology）因此而興起焉。考古學講究科學的發掘過程；發掘出來的文物，讓人能夠真正看見歷史，觸摸歷史；我們看見的文物，是古人也曾看見，也曾觸摸過的實際東西。考古學的出土文物，打破了文字主宰歷史的局面，打開了人們了解歷史的一扇窗。

實在說，重視文物的史料價值，中國原較外國為早。宋代時候，由於趙明誠、歐陽修等人的帶動，金石學興起。金石學可以算是中式考古學，因為它也重視文物史料。但是，金石學和西式考古學的出發點，完全不一樣。西式考古學發達，是由於不信任文字，而重視文物；金石學發達，是由於信任文字，而重視文物。金石學這個名字，說明了它的立意和內容。金與石，銅（金）器與石刻－兩種鑄刻著文字的文物。因此，金石學的研究重點，是有文字的文物。看似一門與文字相對的學問出現了，實則是一門信任文字的學問延伸了；只是在簡冊書籍之外，增加了文字史料的來源罷了。

科學的考古發掘，是文物史料唯一來源。（金石學的獲得文物方式，放在考古學標準下，只能稱為拾獲、採集或者徵集，而不能稱為發掘）這種史料，是展現在人們眼前的科學證據－無論大至百多公尺的金字塔，還是小至數公分的郢爰。文物史料的真實性沒有問題，是可以相信的史料。然而這種真實史料，有著吊詭的個性：它雖然不說假話，可是它也不說話；金字塔是誰建造的，有什麼意義？郢爰是誰製作的，有什麼意義？這些事情，還是要靠史家根據既有的文字史料去解釋。文物史料用於校正文字史料的錯誤，最為有用。但是在完全沒有文字史料的情況下，文物史料就讓人摸不著頭緒了。（不知道發現的是什麼東西）同時，考古發現是一種不能預期的學問，誰知道什麼時候會發現什麼東西呢？這些問題，使得文物史料，零散而不完整。靠著不完整的史料，拼不出完整的歷史。

所以，考古所發現的文物史料，是不會說假話的史料。然而，它不能單獨存在，必須和會說假話的文字史料相印證，而得出最接近真實的結果。這種情況，就像是法官判案一樣。一個案子中有物證，有人證。物證不會說假話，人證會說假話；物證份量，應該絕對超過人證的份量。但是，最終經過法官的自由心證後，到底案情能否大白，則仍屬未知。文物史料的情形亦復如此；科學的歷史證據，通過史家解釋之後，能否呈現出歷史真相，也很讓人費疑猜。因為，最後的結論，不由文物自己表白，而是由人（史家）所判斷。因此，考古學打開了解歷史的一扇窗；但是窗外霧靄朦朧，並不是想當然的白雲藍天。

史料問題之三

近世有一種新的史料形式，受到重視。這種史料就是口述史料；或者稱為「口述歷史」oral history。基本上，「口述歷史」被認為是亞倫・內文斯（Allan Nevins）於1948年所提出與建立的新史學方法。不過，「口述歷史」這個名稱，有點誇大，有點要脫離既有歷史的意思。好像相對於「口述歷史」，還有文字歷史，文物歷史一般。事實上，文字歷史、文物歷史都不是現成的術語。任何形式的史料，都不能單獨地、片面地構成完整歷史。無論它是文字的、文物的、還是口述的。（故，本文不隨俗的稱「口述歷史」，而保守的稱口述史料）

雖然在史學界，口述和亞倫・內文斯幾乎等義；不過以口述方式紀錄、傳播歷史，可不是由內文斯氏開始。口述，是人類最早的一種史料來源。早期的人類，唯有通過口述方式，才能對歷史有一些模糊的認識。前面說過，中國有「信史」的說法－文字產生後的歷史，是可信的。那麼，不可信的部分呢？就是文字產生前的歷史。那時候的歷史得以流傳，都是通過口述方式。文字產生之前，才是真正的「口述歷史」時期。

人類早期的口述史料，多半是神話和傳說 myth and legend。也可以說，神話和傳說是早期歷史的普遍內容。神話和傳說，在今日已不被看作歷史，而被看作文學。因為它雖然瑰麗，卻不真實。人說話不真實，可以浪漫的視為幻想，也可以不浪漫的視為說謊。與文字史料相比較，口述史料的可信度更低；所謂「口說無憑」「信口開河」「信口雌黃」並不是無的放矢。就上面說的人證、物證例子而言，口述顯然比文字更具有人證的不可信特徵。畢竟「白紙黑字」當前，人總是比較謹慎一些。

所以，今天的口述史料學家，並沒有開創一種新學問，而是拾起一種老行當。可貴者，是他們在獲得史料的過程中，增加不少科學方法：一是從社會學（sociology）中借用了選樣、問卷諸般技巧；對口述對象進行較嚴格的篩選，找出最具有代表性的口述者。同時，設計最適合讓當事人說真話的問答方式。二是科學設備的介入，（錄音、錄影、攝像等等）希望在科學器材輔助下，更為無誤地記下口述內容。

話雖如此，今天口述史料的應用，並非因為方法上較科學，就必然有較科學的結果。上述之科學方法中，還是有不能解決的人為盲點。第一，無論如何嚴格篩選對象，口述者總以接近事件核心者為佳；因為他們對事件的了解最深入。然而，最接近事件者，常常就是最具有個人立場者。（個人立場，不也是文字史料最為人詬病的部分麼）試想，兩個交戰國的史家，各自對其政治領袖進行口述，其紀錄的南轅北轍，可想而知。把這兩種紀錄綜而觀之，怕不是更撥雲見日，而是更一頭霧水。第二，無論如何使用科學設備，有一種科學無法解決的事項，那就是人的記憶。口述史料，是不依賴文字、文物，而依賴記憶的史料；而記憶本身，是非常不可靠的東西；它由腦子裡的電流所儲存。一個人的記憶，會因為各種原因走樣。除去有意識的扭曲外，（說謊話）也會無意識的扭曲。（由心理防衛機制 Defense Mechanism 啟動的選擇性記憶）更嚴重的，記憶還會隨著年齡增長而減弱甚至消失。（失智症 Dementia 俗稱老人癡呆，是一種普遍發生在老人身上的疾病。自發病至診斷出來，可以長達幾十年。早期患病者，很難從其言行舉止上辨識）可是，口述史料基本上就是來源於老人。只有老人，才值得口述其所見所聞。（因此，口述史料多半以《回憶錄》方式呈現）口述史料的獲得，頗有一點挑戰人類心理、生理極限的意味。這種挑戰，站在科學的立場而言，並不科學。

（在〈我們的虛擬世界〉中，我說歷史和藝術、宗教、政治一樣虛擬。該文提出歷史虛擬的外在原因：政治對歷史的影響。這一篇文字，提出歷史虛擬的內在原因：史家問題和史料問題。此文可以視為彼文的一種延續）

歷史重演與其相關問題
（完稿於 1992年3月20日）

歷史的有趣，在於複雜。歷史的無趣，也在於複雜。歷史的有趣，在於複雜中見著道理。歷史的無趣，在於複雜中，怎麼也見不著道理。其中，歷史會不會重演這個問題，便是最有趣與無趣的了。

歷史重演與歷史系統

歷史是人的歷史。人生事，事顯人。人與事構成了無數的歷史事件。歷史研究，就是把歷史事件理出頭緒的工作。歷史事件的頭緒，簡言之，可以用因果二字綜攬之。歷史之因果無關佛家的輪迴因果，而是一種科學因果－原因與結果（cause and effect）。掌握歷史事件的前因後果，便容易了解事件的意義。因此，說歷史是因果之學，實不為過。

然而，問題來了。歷史的時間長久得很，因生果，果又生因，事件間的因果環環相扣。這樣一來，所謂歷史系統便有其需要。因為有系統的事件，要比單獨的事件更容易了解。事件納入系統後，我們才能「系統地」了解歷史，歷史才得以連貫。歷史系統之建立，有兩個方法最吸引人。一是事件間的偶然因果，一是事件間的必然因果。分述如下。

對重視事件間的偶然因果者言，歷史是一種「線段型發展」。（segmentary development）舉一粗淺例子說明，漢代發生各種歷史事件而組成了漢代歷史。唐代也發生過各種歷史事件而組成了唐代歷史。漢之為漢，唐之為唐，是由於一連串偶然事件，及其相互因果所造成。這種強調偶然的說法一點不錯，因為漢唐事件的確無一相同。既然不同，各代歷史便可以孤立起來研究。斷代史由此生焉。因此，持此種觀點者，視歷史為「線段型發展」。每一段的歷史，因為諸事件之內容（人時事地物）無一相同，而可獨立研究。整個歷史好像由數學上的線段（segment）所構成的一般。彼此獨立，又絕不重複。

而在重視事件間的必然因果者看來，歷史則有了不同面貌，而呈一種「波浪型發展」（wavy development）。所謂波浪型發展，是指發現不同時段之歷史事件，內容（人時事地物）雖不相同，但是性質十分相似。再用漢唐舉例，雖然漢唐事件不同，但是漢唐之政治，經濟，軍事等等事件之所以發生的道理，卻並無二致。如此一來，歷史事件便可以分類。進而了解是什麼必然的原因，導致了必然的結果。持此史觀者，視歷史發展如數學上的波型（wave）一般。啟承轉合，周而復始，循環不已。

至此，我們發現上述兩種系統，牽涉了歷史上微觀與巨觀問題（microscopic and macroscopic）。微觀巨觀都沒有錯，不過前者看見了（人時事地物）種種偶然組合，後者看見了這些偶然組合一次次的必然反覆。一見樹一見林。各有所取，各有所好。上面兩種觀點，也牽涉到了歷史會不會重演的問題。歷史當然不會重演，因為歷史事件內容（人時事地物）絕不重演。歷史也當然會重演，因為歷史事件的性質都類似－歷史是齣戲，是齣由不同人物擔綱，但是戲碼相同的戲。

歷史重演的諸般原因

歷史既是因果之學，事件之所以重演（指性質而非內容）亦有原因。在研究這個問題時，我們應該先有一個認識。那便是歷史的功用在見與鑑，所謂以古為鑑。白話就是說，看見而不要再錯。因此，傳統的歷史研究，有一種檢討錯誤的傾向。目的就是不希望歷史重演。而事實上，歷史不但重演，而且好事壞事都重演。好事重演，大家就不去談論，而以為理所當然。壞事重演，大家就議論紛紛而成了學問。了解好壞皆重演以後，這個問題好像就不那麼嚴肅了。

但是，話說回來，既然歷史重演之探討，總是集中在壞事重演的問題上，下面簡單的例舉四種原因，說明歷史惡事件重演之不可避免。前三原因，建築在客觀，善意與理性上。後一原因，論及主觀，惡意與非理性層面。前三原因較理論，後一原因較實際。

（1）對與錯之相對問題

對與錯是相對而非絕對的，是非對錯常常因為立場不同，而有不同解釋。這個問題很大，因為如果對與錯都不容易分清，根本談不到如何避免錯誤。孰對孰錯，莫衷一是，如何避免。事實上，歷史上人們不斷犯錯的原因，正是因為他們自以為他們是對的。一群自以為對的人，不斷做著自以為對的事，歷史當然重演。

（2）對與錯之數量問題

分不出對錯，而不斷犯錯，可以說是錯誤的質的問題，而對錯本身還有量的問題。我們常常說的「積非成是」，積字用得很妙。累積的量夠多了，惡就可以質變為善。換句話說，所謂是非對錯要由人來評判，而且以多數人意見為準。這個道理西方叫做民主，東方儒家稱為從眾。放在人文學上，似是合情合理。放在數學上，就可以看出其可怕與謬誤。因為這個道理明示多數就是對的，暗示少數就是錯的。

好了，回到歷史問題上。關心歷史與明白歷史錯誤的，只是少數位於社會架構冷僻角落的歷史學者而已。這種人數上、社會地位上的少數，沒有資格建立是非對錯的標準。標準不在手中，就不能影響多數之意見，進而改變歷史進程，使它不犯錯。

少數就是少數，無論是道德的少數，理性的少數，都是一樣。所以，史家豪情的說「眾人皆醉我獨醒」，悲情的說「天地悠悠愴然涕下」還是無情的說「當局者迷，旁觀者清」，都只是客觀的闡述了一個數學上量的觀念罷了。量變才能質變。少數不能對抗多數，因此歷史當然重演。

（3）對與錯之實證問題

這個問題，也可以稱為書本知識與現實經驗問題。中國有兩句古話說「讀萬卷書不如行萬里路」「盡信書不如無書」。兩句話充滿科學精神，翻成英文則是「眼見為信」（seeing is believing）。眼見為信說明了人對知識的態度，也道出了歷史的悲哀。

歷史是過去的事，沒有人看見。即便殷鑑不遠，不久後，便殷鑑已遠無人聞問。沒看見的事情，不能強迫人相信。這正如年輕人不相信老人的話一般。什麼時後年輕人才重視老人呢，要到年輕人老了，自己說出「不聽老人言，吃虧在眼前」的時候。年輕人沒有錯，他只是對人生充滿實證精神而已。也因此，正因為人對知識的基本理性態度，使人多輕視歷史。等到發現問題，眼見問題，歷史已經又重演了。

（4）對與錯的取捨問題

人是理智的動物，人是感情的動物，但是人更是慾望的動物。人因為理智與感情原因，阻止歷史重演。人因為慾望動機，激化歷史重演。

人的慾望與歷史發展，佛家講的最好。佛家說，人不過是貪瞋癡的動物。貪；貪多無厭，是物質方面的慾望。癡；癡心妄想，是精神方面的慾望。不論物質精神，慾望不得滿足則瞋。瞋；便是情緒不穩，失去理智與感情。於是乎，惡心理生焉，惡事件生焉，輪迴於六道，不斷重演。

所以，慾望是歷史重演一個重要原因。人並不是理智或感情的看待是非對錯，而是依據慾望判斷是非，取捨對錯。當是非對錯的取捨，由慾望決定的時候，對錯本身就根本沒有標準可言。

沒有標準的規則，是不必遵守的規則。無怪乎歷史的創造者們，前仆而後繼，死之而無悔。他們對所謂歷史的錯誤，從根本上，嗤之以鼻。

因此只要人的慾望一日存在，歷史必將一再重演。因為歷史是人的歷史，也是一部慾望之史。

孔子自敘年表及其史學價值
（完稿於 2012年4月9日）

> 子曰：吾十有五而志于學，三十而立，四十而不惑，五十而知天命，六十而耳順，七十而從心所欲，不踰矩。(《論語／為政》)

孔子對自己的人生過程，曾經毫無保留的記錄下來。這份簡單的紀錄，非常珍貴。因為它不但是孔子個人歷史簡表，也是人類生命周期簡表。這一份紀錄，是研究孔子的珍貴史料，也是規劃個人人生的重要參考。通過孔子的紀錄，可以約略窺見一個人的人生；特別是心境上的變遷。這種人生紀錄，具有高度普遍性。古今中外，這樣簡單、確實的紀錄，除了孔子上面的這段話以外，並不多見。

> 孔子據魯史修《春秋》，我們把孔子也視為史學家。然而《春秋》是西元前770-476的一段中國歷史，這段歷史僅對於研究中國上古史的史學家有價值。而《論語／為政》中的這段孔子個人歷史，卻是基於心理學的一種科學觀察與紀錄；是所有人終將面對的普遍人生歷史。從這個角度言之，《論語／為政》的這段記載，其價值要大於《春秋》了。

四十個字，道盡孔子一生的心境。其中六個數字，代表孔子六個心境變化的年代。

首先，孔子說「十有五而志于學」。十五歲在周代，應該是什麼情形，實在距離太過遙遠。如果用現在的教育體制來講，十五歲是國中三年級；孔子在國中三年級時，發生什麼事呢？這樣想想，孔子的少年形象，就鮮活起來。

> 我們對於古代事情沒有興趣，經常是因為不知道那些事情跟我們有什麼關係。而這種「無關」的錯覺，基本上是因為古代、現代的語言文字不同，特別是術語不同。當術語相同，以現代術語代替古代術語之後，古人的經驗便和我們的經驗串聯起來了。這是歷史研究和歷史教學上一個很重要的工作。古代術語懂得多固然顯示有學問，而能夠讓現代人對歷史感興趣而獲益，則更是歷史家的基本責任。

孔子說他國中三年級開始立志；立志求學，立志做學者。

> 所謂學者，應該是好學之人，而非有學問之人。學者的學字，應該是動詞而非名詞。應該是無止境的追求，而不是身份或職業，七十歲可以是學者，二十歲也可以是學者。追求較之職業，境界大矣。

很多人重視孔子立志於學。但是在普遍規律上而言，立志做什麼，並不重要。因為人各有志。重要的是開始立志這件事。志這個字是儒家喜歡講的，它是一個士字和一個心字，也就是士人的心思。士不是普通人，無論他是文士武士，總是有理想而看重自己的人；這種人的心思理想稱為志。也只有這種人，才會有不輕易變化的理想心思，終生追求。

> 中國除了儒家便是佛家影響大。儒家講立志，佛家不講立志而講發願。願這個字，是一個原加上一個頁；頁和首相通（念作「協」，見東漢許慎《說文解字》）原頁便是原首－腦中最初的規劃與想法。佛家的願和儒家的志，非常類似。

孔子十五歲就開始立志。換句話說，一個十五歲的初中生，就開始嚴肅的做生涯規劃。這件事情很特別，因為一般人十五歲多渾渾噩噩，哪裡有什麼人生理想？這一點，是孔子非常過人之處。

接下來，孔子說他三十歲的事。他說「三十而立」。立不是有大成就的意思；立只是站立，獨立。別人雖然知道他這號人物，但是離開成功還遠得很。也即是說，孔子立志後，努力了十五年，才有點小氣候。這個十五年間，竟然沒有什麼值得記載的事。可見努力這件事的乏味，和成功這件事的緩慢。孔子說他為理想奮鬥十五年而能立，大約一般人也是如此。如果立志時間較孔子晚，努力時間沒有孔子長，自然其結果，就不能相提並論了。

三十至四十之間，又無紀錄，想必仍然是漫長乏味的工作，以保有其「立」，以求其突破。到了四十歲，孔子說他「不惑」。惑這個字，是疑惑也是動搖。孔子規劃他的人生，努力了二十五年後，仍然對他的初衷（志）有所疑惑、動搖。這種動搖，由自身的艱苦而來，也由外在的引誘而來。要成功必需付出代價，其艱苦可想而知。而來自外界的引誘－主要是對於成功這個目的的質疑，更是令人動搖不已。「成功或者不成功，不都是一樣過日子麼？」這種「退一步則海闊天空」的想法，真是能夠折磨鐵漢，真是能夠讓人功虧一簣。

> 孔子為宋人之後，（《史記／孔子世家》則稱其為商人之後）而宋人以「愚」見著。（宋襄公是著名例子）愚即是固執。固執好不好呢，一般而言不好。但是如果擇善固執，那麼固執和堅持之間的分別就不大。而堅持自然是毅力的表現。

孔子到了四十歲，經過二十五年的奮鬥，才能夠不受內外煎熬而動搖心志。那麼開玩笑的講，孔子三十九歲時候，動搖不動搖呢？我想，至少他三十幾歲的時候，還是非常迷惑，非常動搖。孔子經過四分之一世紀的磨鍊，才讓心志沉穩下來。這是非常寶貴的人生經驗。也只有至聖先師如孔子者，才肯不怕丟面子的告訴我們：原來人生初期很長時間，都是經不起試驗的啊。能夠真正靜下心來專注於工作，要等到中年以後啊！這種經驗傳承，對於年輕人，特別是對於自我要求過高的年輕人，極為有用。可以提醒他們去掉急躁之心；去掉對自己能力、毅力不必要的懷疑。因為，一切年齡使然。四十歲以前，不夠成熟。

孔子終究可以安心、不動搖的奮鬥了。然而，這個可以安心、奮鬥的時間並不長。孔子說他五十歲時，心境又有了轉變－這次的轉變，可真是一百八十度的轉變。孔子說「五十而知天命」。天命就是命運；孔門以積極入世著稱，怎麼會開始談命運？對命運有興趣呢？

> 除了孔子是「知其不可為而為之者」的固執人物外，(《論語／憲問》) 子貢也是勇於向命運挑戰的人物；所謂「賜不受命，而貨殖焉」。(《論語／先進》) 然則曾幾何時，孔子也開始研究命理、喜歡《易經》。所謂「加我數年，五十以學《易》，可以無大過矣」，(《論語／述而》) 所謂「孔子晚而喜《易》，…讀《易》，韋編三絕」。(《史記／孔子世家》) 甚至說出「不知命，無以為君子也」的話來。(《論語／堯曰》)

中國有句老話「窮算命，富燒香」，這句話充滿人生智慧、邏輯機趣。可以由此了解孔子「五十而知天命」的問題。

> 所謂「窮算命」的意思，是指命運不好的人才會去算命。因為命運已經不好，算命結果仍然不好，也只是既有事實而並無損失；若是算命結果竟有轉機，則大大令人高興。相反的，命運好的人絕對不去算命。因為算好了，也只是陳述事實並無所

獲；算壞了，則自觸霉頭惹人不快。因此命運好的人，寧可燒香請神佛保佑維持現狀，而不肯算命。孔子喜談天命，自然運勢不順遂；或者其運勢和其理想不能配合。

孔子五十歲，感受到了「窮」的到來－感覺到了人生限制的到來。這種限制，讓孔子明白努力畢竟有限；人生的起承轉合似有定數。這個限制和定數還是年齡。孔子發現，他已經老了。

孔子曰：「四十五十而無聞焉，斯亦不足畏也矣」。（《論語／子罕》）他說一個人四、五十歲還沒有名聲，我就不怕他。為什麼不怕呢？因為時不我與，歲月不饒人；還想奮鬥卻開始有力不從心之感。時間不夠了，不可能有大作為了。

五十對年輕人而言，是不容易了解的數字。五十歲，是一個收穫時期，也是一個整理時期。人在這個時期，幾乎是忽然地，發現體力不如從前、記憶不如從前、眼睛耳朵不如從前；所有老化現象逐一出現。在這個無可奈何的時期，人必須開始整理：整理既有成績、整理新的計畫。這個新計畫不該是如何再出發，而是計畫如何迎接老年的到來。孔子會老，每一個人都會老。孔子能「五十而知天命」，每個人也應該對生命的基本起落，有所了解，有所警惕。

孔子接著說「六十而耳順」。耳順最簡單的解釋，即是順耳。對於任何事情不再心存偏見，甚至不再心存主見。對於人生社會真正見多識廣之後，所有的爭執辯論，已經不能引起孔子的興趣。沒有什麼事情是不好的、不能接受的。因為各種矛盾、各種觀點，不過反映了各種人情的相異而已。相異只是不同，並沒有對錯。相異而不相對的想法，讓心境平和。果能如此，還有什麼可爭執辯論的？那就是耳順的境界。

在耳順的日子中，又過了十年，孔子到了「從心所欲，不踰矩」的階段。這個階段，是孔子學識修養的高峰。我們可以說，他因為學識修養而「從心所欲」，也可以說，他因為人生即將結束而「從心所欲」。這個時候，不依自已興趣做點高興事，就沒有時間了。當然，以這個年齡而言，做點高興事，是不會出什麼亂子的。因為對做人做事的尺度分寸，已經爐火純青。不過，爐火不能永遠純青。爐火開始純青，即是爐火即將轉弱，以至熄滅的開始。人生歷練的純熟，在這個時候，常有派不上用場的遺憾。孔子去世時七十三歲。

> 我以為，可以和孔子這段紀錄相提並論的，是喬答摩悉達多（佛陀）遊四門，觀四相，（生老病死）所謂「見四相，即乘馬出走」這段話。（《佛種姓經》）佛陀敘述了人生的本質，孔子則為這個本質，做了時段上的註釋。

革命家孔子－從其政、教理念的矛盾說起
（完稿於 1995年6月16日）

聖之時者的維繫

孔子是中國的聖人，為時已有兩千五百年之久。中國人以為聖人可以分成好幾類，而將孔子稱為「聖之時者」。（這種稱謂，最早大概由戰國時代的孟子提出）用白話說，可以譯為「因時制宜，順應時勢發展，不過時的聖人」。孔子這位不過時的聖人，在歷史上，又被稱為「至聖」－聖人中的第一名。（「至聖」，早在西漢司馬遷《史記／孔子世家》中已經出現。大約北宋真宗時，成為官方說法）他所提出的中庸思想－平常而不偏頗的思想，能夠讓大多數人，在大多數情況下，保持身心平衡。因此，孔子思想受到歷代君主的青睞。當政者的重視，自然使孔子益發的不過時。

實在說，「不過時」這件事情是不存在的。因此，所謂孔子思想的不朽，要靠歷代學者專家，在皇帝的號召下，替他不斷的重新詮釋，予以新生命。這樣一來，雖致不朽，卻有一點面目全非。

孔子面目的兩次大變化，在漢代與宋代。漢代時，儒家配合荒唐的讖緯學說，將孔子「神話」為黑帝之子，稱為「玄聖」。還被描繪成一名朗誦神諭，預測漢帝國將於數百年後開國的巫師型人物。（可以參考《春秋緯 / 演孔圖》及《孝經緯 / 授神契》）漢代的孔子雖被糟蹋，卻能為當時的有識之士一笑置之。所以，漢代之後，孔子的巫師面具便得以拿下，暫時喘一口氣。（對於漢代荒誕儒學最敢講話者，在當代是為了「疾虛妄」而作《論衡》的王充。二十世紀，是反對將孔教定位國教，痛斥漢儒「巫道亂法，鬼事干政」而作〈駁建立孔教議〉的國學大師章太炎）

到了宋代，事情就較比複雜了。宋代中國，政治上重文輕武，思想上受佛教九百多年衝擊，使儒家得到重新奮起的充分理由與機會，故理學為之興。理學家將宇宙萬物皆合理化。孔子與其思想，自不例外。宋代孔子的形像，十分正面。問題在講究教條的學術氣氛下，孔子被「德化」得過分正面，成為了一個滿口仁義道德的學究型人物。這種學究型的「德化」形象，實在較漢代之「神化」形象更為厲害。厲害到有識之士非但無法一笑置之，甚至不敢發笑。因為誰要發笑，便與仕途無緣。（元仁宗皇慶二年後，宋朱熹的《四書章句集註》註解，成為科舉考試的標準答案。）誰要發笑，便有謗聖之嫌，要受道德議論甚至法律制裁。孔子的學究面具便這般戴上，至今千年尚未過時。經過漢代與宋代的兩次官方詮釋。孔子確已成神成聖，人味已經剩得不多。

聖之時者的理想

孔子的最大魅力，在於難以用任何「行業」，將他限制住。所謂

「君子不器」，正是他的自身寫照。在他諸多身份中，政治家孔子與教育家孔子，最為人尊敬。我們就以這兩方面來談談，看看能不能跳出漢代、宋代框架，找回一點孔子的原始面貌。先看政治。

孔子所處的春秋時代，政治不穩定。延用已久的封建制度沒有人願意遵守。對於周朝王室，諸侯們不尊重它。動不動偷王麥吃吃，或者問問王鼎的輕重大小。而諸侯自己家中，也好不到哪裡。隨時要小心被下面的人一腳踢下台，取而代之。這樣一個僭越觀念當道的政治環境，不是溫良恭儉讓的孔子能夠忍受。因此他大聲疾呼，要大家遵守禮制，恢復數百年前的舊有秩序。

孔子是個理想主義者，我們從他的政治藍圖中，不難發現這一點。他認為只要大家「必也正名」－遵守本份，不作越軌之事，便可天下太平。他的理想世界是一個國王像國王，臣子像臣子，父親像父親，兒子像兒子的秩序世界。（孔子在《論語／顏淵》中說，為政之道在於「君君、臣臣、父父、子子」）並且，這種秩序，不應該由法律的約束完成之，應該出於道德感－大家自動自發地去完成。所以，有人稱孔子的「必也正名」為「正名主義」。我則稱之為「想像的正名主義」－較所謂「理想的正名主義」，還要理想一些。

無論如何，孔子要求一種安定，不變動的封建舊秩序。他最喜歡講禮；禮，就是大家守本份不僭越，就是封建秩序的代名辭。這是政治家孔子的主張。然而，能不能實行呢？當然不能。孔子忘了他的時代是亂世；他不知道禮是治世的理想，而非亂世之良藥。所謂亂世用重典，一點也不錯。時代已亂，人的思想已亂、行為已亂，怎麼可能要求自我約束呢？我們看見最後這個亂局，也的確讓用重典的國家－

秦國給收拾了。但是，孔子卻沒有看見。因此，他一次次的受挫受辱，最後成為隱逸者的譏笑對象，以為他是一介愚人。（譏笑孔子愚人者還真是不少，《論語》中就有：微生畝、石門晨門、荷蕢者、原壤、楚狂接輿、荷蓧丈人、長沮桀溺等等。）

史稱宋人多愚，孔子正是宋人之後。（傳說，孔子為宋國宗室孔父嘉後裔，族人因華督之難避禍奔魯）愚不是笨，愚是固執。在不適當的情況下，堅持用不適當的方法，便是愚。那麼，這位「知其不可為而為之」的固執人物，一生便這樣固執下去了麼？答案倒是否定的。（因為他是「聖之時者」麼。因時制宜，順應時勢發展的「聖之時者」，怎麼可能真的固執？那些隱逸者並沒有把孔子看透）一來，孔子說他幾十年的生命中，每十年便有新境界。既有新境界，自然未見始終固執。（可參考《論語 / 為政》「吾十有五而志於學」那一段話的後半）二來，撇開政治家孔子，看看教育家孔子，更可以發現他非但不固執，更是大大的新派人物。

聖之時者的革命事業

作為一名教育家，孔子在政治上的不愉快，應該獲得一些補償。孔子的教育理想，從兩個方面看，便能知其大概。一是他教什麼？一是他怎麼教？孔子教什麼呢？孔子的教學科目是六藝－禮、樂、射、御、書、數。不要太吹毛求疵的，籠統的講，便是政治、藝術、武術、文學、經濟等等幾個方面。（數是不是可以廣義的當經濟講，可以從子貢的成就了解）這種教學方法十分明白；孔子絕不是教學生謀生本領，孔子教的是通識教育－訓練全方位人才的教育。用舊說法，便是士的教育。而士的教育，正是當時的貴族教育。

好了，孔子怎麼教他的六藝呢？他說「有教無類」，這是實情。因為他說「自行束脩以上，吾未嘗無誨焉」。把吃飯問題都攤開來講，可見說了真話。從孔門弟子的考證中，我們也的確發現，似乎只有大嘆沒有兄弟的司馬牛等少數人，出身貴族，而其他弟子多為民間人士。所以，孔子的教育，無疑是真正的平民教育－並且偏重社會下層平民。（顏淵最為典型）說明孔子教什麼、怎麼教以後，就要說說他所造成的影響了。

孔子的政治理想和教育理想，是完全相反的。政治家孔子與教育家孔子，有著極大的矛盾。在政治上，孔子擁護舊有的階級秩序。可是在教育上，孔子主動的打破了舊有階級。他的「有教無類」，將貴族知識傳布於民間，加速了舊有秩序的解體與崩潰。因為，「有教無類」這種教學方式，是一種最為非禮的，最為鼓勵僭越的，破壞封建秩序的行為。（下層有了知識，為何還要屈居下層？這個道理簡單不過）

「必也正名」與「有教無類」，是孔子最基本的政治主張與教育主張。孔子在政治上是極端保守者，在教育上，卻是極端前衛者。他用他的教育主張，徹底地，痛擊、毀滅了他的政治主張。他放棄了「必也正名」，放棄了上層的政治改革，而以「有教無類」的方法，從更基本的層面，將社會解構。孔子以後，「百家爭鳴」、「布衣卿相」的局面，是宣佈封建結束之最後號角。但是，「百家爭鳴」、「布衣卿相」的形成，是因為孔子的「有教無類」－是因為教育普及，而出現社會階級的大混亂與大換血。以「必也正名」的標準而言，「百家爭鳴」和「布衣卿相」非但非禮，非但僭越，並且將社會上層的非禮、僭越風氣，延伸、貫徹到社會底層。孔子在政治上全力支持封建，但是在教育上，他是結束封建的最大推手。孔子以教育革了政治的命。他對政客與亂世的反抗，是給政客一個更大的亂世－面對這個更大的亂世，政治與社會，都從新洗了牌。

兩千五百年了，孔子矛盾的原因，我們難以揣測。然而，孔子的確是矛盾地，推行著他的政治理念和教育理念。這種矛盾，是出於偶然？還是出於刻意？是一個有趣的歷史問題。不過在政治家，教育家，思想家等等名銜以外，我們應該再給孔子一個革命家的冠冕。

寫給歷史系學生的兩封信

（完稿於 2011年6月12日）

科學的看歷史（給大一新生）

歷史都是人類過去的事情，過去的事情有意義嗎？我們有知道它們的必要嗎？這些事情牽涉到歷史的寫作、流傳、研究以及歷史教育，是一個重要問題。因為若是歷史沒有什麼意義，這門科學就應該要淘汰了。

歷史的意義是什麼，可以從歷史是什麼開始了解。歷史是人類的紀錄，是人類的共同記憶與經驗。這種共同記憶與經驗有兩層的意義，第一，就人類這種靈長類生物而言，在地球這個太陽系的行星上，生活了數百萬年；直到最近數千年前開始，這種生物才開始透過文字，將其生存過程的種種，擇要記錄下來。這種紀錄的價值，在於紀錄的本身。即使若干年後人類消亡，外星文明發現這些紀錄，解讀這些紀錄，則人類在宇宙中的短暫歷史，仍得以流傳。

> 基於這種史學觀點，美國太空總署（NASA）在1972年發射先鋒十號，航向太陽系之外。先鋒十號的外殼上有一面鍍金的鋁板，上面蝕刻了人類形象與科技成就。繼之在1977年又發射航海家I號，攜帶一金屬蝕刻而成的唱片，上面有人類文化種種紀錄、聲音、及圖片118張。

紀錄本身的價值，就是歷史的第一層意義，也可以說是歷史的特殊性意義。當然，這種意義對一般人而言，太過於遙不可及。（凡遙不可及且不能獲得實利的事物，一般人總視之為沒有意義，或者沒有價值。這是一般人見近不見遠的通病）

接著說歷史的第二層意義。歷史的第二層意義，也可以說是歷史的普遍性意義。那便是當人類的共同記憶累積到相當程度後，便可以根據其異同而加以排比分析，進而得出其間的因果規律；進而了解人類的行為。

人類的行為有規律可言嗎？人是一種動物，自然有其行為模式。只是，基本上，生物的層次越低，它的行為愈受到本能反應（instinct）驅使，越具有顯而易見的刺激與反應之制約效果；也即是說其行為規律越明顯。而人類是地球上最高等的動物，其行為雖然也受到本能的驅策，但是更受到經驗判斷的影響。

> 例如動物可以做簡單的制約反應實驗，但是人類因為大腦發達，記憶力強大，因此會產生很多因為記憶而來的反應。這些反應有時候與本能相反。它們來自於經驗，更來自於教育。例如，根據道德、宗教、法律、風俗習慣等觀點而產生的反應，都不合於生物的本能反應。這種反應，或者可以稱之為文化反應。是人之所以為人，人之所以異於禽獸的特殊反應。

也可以說，人類的行為模式較之動物而言，有更多的變數（variables）並且更難以公式來描述之。然而，這些充滿變數的人類行為模式，畢竟是我們了解人類與預測人類行為的重要根據。所謂鑑往知來，便是要從歷史紀錄中歸納出規律，再根據規律隨時預測與校正我們的行為，已達到趨吉避凶的目的。歷史的智慧，便是歷史學家從歷史的原始紀錄中，點點滴滴歸納統計出來的大小規律。

或者有人認為，對人類行為規律的了解，不必來自於歷史；來自個人的生活經驗也很好。不錯，生活經驗很重要；但是個人因為生活經驗，而累積出來的有意義記憶太少。相對於個人記憶，歷史則是一個集體記憶的大資料庫。（data bank）個人的經驗再豐富，也不能和這個數千年的記憶庫相比較。如果把人腦比作電腦，人人都是個人電腦，（PC）那麼歷史就是一台超級電腦。（super computer）我們只要願意和這台超級電腦連線，（connect）便可以進入大資料庫－進入人類的集體記憶之中，盡情吸取各種資訊，來豐富我們的個人記憶；了解人類，也了解自己。更可以利用集體記憶中的規律與智慧，來解釋、解決個人的諸般人生問題。這便是歷史的普遍性意義，是歷史和每一個人都發生關係的地方。

二十一世紀了，從科學角度看歷史，也許有助於新世代的人了解歷史，重視歷史。

與史學性質相近的兩種職業（給大四畢業生）

史學是一種特別的學科，它在大學制度下所擁有的學生人數，與職場上的就業所需人口，完全不成比例。這種失調，是教育機制上的一種重大損失；如何改變，可能不只是大學系所的規劃安排問題，它還牽涉到許多複雜的社會、文化機制問題。因為這個問題，並不是中國所獨有，西方世界亦是如此。

因為可以學以致用的史學工作很少，便造成史學系學生的茫然與痛苦。在責備年輕人沒有理想、缺乏抱負之前，我們應該知道史學系學生的問題－他們除了課堂上的歷史教師外，幾乎看不見任何偶像；看不見任何因為從事史學工作而在社會中有所作為，甚至飛黃騰達的例子。而教師，顯然在成人社會中，並不具有偶像的地位。這種類似前不見古人般的迷惑，讓史學系學生如何打起精神，興致高昂的在史學天地中往來馳騁？

缺乏偶像的問題，是很難解決的。因為史學本來就是增加智慧與見識的學問，而非在社會上謀取衣食的學問。以世俗的成功定義而言，史學這個行業中，的確沒有多少偶像型人物值得追隨。但是，這個問題，也並非全然不能解決。我們既然不能透過對偶像的崇拜，來建立對史學行業的信心，便要想辦法了解史學工作的基本性質；或者從工作性質相近的行業中，來了解史學系學生到底具備什麼本領－具備什麼在社會上有價值，受尊敬的本領。當然，這種心路歷程非常曲折而且不得已。大多數科系的學生，並不需要用這種方式來肯定自己。但是，這也是沒有辦法的事。幾種與史學工作相近的行業，可以讓我們較為深刻的了解自己，值得一談。

一、史學工作的性質接近記者

記者的工作是收集資料與記錄資料，史學工作也是如此。事實上，記者這個行業與史學極為接近；記者可以說都是現代史家。他們收集當天的資料，而立即的記錄下來。他們的紀錄，便是當天的歷史。而史學家所收集的資料，是經過時間沉澱的，相對在時間上更為久遠的資料。除了資料的時間性格不同外，記者與史學家的工作（部分工作）沒有什麼不同。所以，收集資料與記錄資料，是記者和史學家都要面對的事情；是記者和史學家的共同本領。

史學家的工作性質與本領，不但與記者接近，史學家在工作上的限制，也與記者接近。一般而言，記者純粹報導發生的事件，而不予以評論。這種態度和純然崇尚實錄的史學家接近；雖然片面的記錄了歷史，但是對於其紀錄的意義何在，並不負責。

二、史學工作的性質接近律師

律師的工作自然也要收集資料，但是律師更需要嚴謹的分析資料。並且，將其分析過的資料歸納成為結論；一種具邏輯性而能夠與檢察官、對造律師辯論，進而說服法官的結論。史學家的工作（部分工作）亦是如此，他們多半不滿足收集與紀錄資料，而要進一步的解釋資料，甚至建立其解釋體系。因此，分析資料並且將之歸納成可以說服他人的結論這種本領，是律師和歷史家的共同本領。

史學家在工作上的限制，也與律師接近。律師的工作雖然要分析資料形成結論，但是律師的立場卻常常不中立，他必須站在雇主立場袒護其雇主，寫出對雇主有利的結論。這一點又和史學家類似－中國的史學家多半站在當政領袖的一邊，使其結論落入「帝王家譜」或「成王敗寇」現實考量之中。

當然，理論上，律師和史學家都「盼望」追求事實真相，這一點也是很類似的。

然而，律師無論偏袒雇主與否，都不可能收集關於該爭議事件的所有資料；而僅僅從該不完整，但儘可能完整的資料中，分析歸納而得出結論。史學家亦是如此，再精闢的分析歸納，都是建立在不完整但儘可能完整的歷史資料之上。因此，史學家並不一定能得到歷史真相，正如律師並不一定能彰顯正義一般。

記者和律師，是世俗社會中受重視的行業。而史學家的專業，是結合了記者、律師本領的特殊專業；這種特殊專業，令人終生受用。明白這個道理，史學系學生就不該妄自菲薄。明白這個道理，史學系學生畢業後無論從事哪一行業，都應該抬頭挺胸，走出更寬廣的路。

想像與前瞻－史學隨筆兩則
（完稿於 2013年4月16日）

（甲）人是活在歷史裡的生物（2005）

人類語彙中的現在，並不是現在，而是可以接受的過去。

長久以來，人類把時間區分為過去、現在和未來三個段落。人類和這幾個段落之間，可以產生三種「想像的」關係。第一，人是活在未來的嗎？就主觀、浪漫角度而言，人可以寄託於未來、可以為未來理想而活。就客觀角度而言，人當然不是活在未來；因為未來還沒有來到。第二，人是活在現在的嗎？相信多數人都同意，人活在現在，是沒有問題的。中國的佛教禪宗，更是主張，人必須活在現在；（當下）因為人的生存意義，建立在時時刻刻的當下之中。這種說法很有道理，很能夠鼓勵人。但是就客觀而言，仍然有點問題。（詳下）同時，禪宗要求人活在當下，顯然是因為它觀察到：人多半沒有活在當下。順著禪宗的觀察往下思考，第三個問題出現了。人不活在未來，不活在現在，難道人是活在過去的嗎？過去就是歷史，人是活在歷史中的嗎？

這個問題，完全離開了我們的常識領域。但是，它是個可以分析的問題。事實上，人真的是活在過去，而非活在當下。很簡單的証明方法，就是看看自己的手錶。任何人看著手錶，說出現在是幾點、幾分、幾秒，他就錯了。因為，說出來的時間已經過去；那個時間已經成為歷史。然而，我們卻接受那個過去的時間，以為是現在的時間。我們顯然都錯了，但是我們約定俗成的接受這種錯誤。這種約定俗成錯誤，寬容度很大；當我們拿起早報，說今天的頭版新聞如何時，我們談論著的，是昨天的新聞。所謂今天的科學發現、社會流行、政治局勢等等…都不是現在（當下）的事情，而是過去幾年、幾月，或者幾天之間發生的事情。以此類推，我們發現，「現在」這個字的定義，必須修正。人類語彙中的現在，並不是現在，而是可以接受的過去。現在這個字，是非常模糊而不準確的用語；至於現代、當代這些名詞的鬆動，就更不用說了。事實上，沒有現在、沒有現代也沒有當代，只有過去。人做出任何理性、感性反應時候，都是根據過去的訊息，而非現在的訊息；當人做出任何理性、感性反應時候，這些反應又「當下」的成為了過去。人的確沒有在現在中活過，我們只是趕在過去的前面，拼命向前跑；但是，我們從來沒有碰觸過現在－現在一經我們碰觸，就立刻變成過去。現在，就像一個肥皂泡泡，是碰不得的幻象。過去就是歷史，人是活在歷史裡的生物；這是連結物理學和史學的講法。

人之所以活在歷史裡，主要緣於人有強大的記憶力。因為強大的記憶功能，使得人類累積了文明文化；也使得人類不像動物一樣，根據「當下」情況來做「當下」反應。人類的（文明文化）反應，都是根據記憶，而產生的「模式」性反應。換句話說，人類的反應，是歸納記憶而產生的經驗反應。歷史，就是過去的各種大大小小記憶。說人活在歷史裡，和說人活在記憶裡，並沒有很大的差別；這是連結生理、心理學與史學的講法。

我總把禪宗當成生理學（禪坐）和心理學（開悟）看。講到記憶，禪宗「三界唯心造」的說法，更是別具宗教以外的意義了。心是情緒，是想像，也是記憶。心，是一切虛幻的代名詞。

（乙）滅絕與延續－從人類的進化方式說起（2005）

人類將通過另外一種方式進化；利用機器進化。

人類還會進化嗎？在生物學的觀點上，這個問題勿庸置疑。任何物種都必然不斷進化，同時，任何物種都不可能永遠存在。然而，人類這種高級靈長類，卻可能違反「不斷進化」、「不能永存」的原則。

人類成為萬物之靈，腦子的發達極為重要。然而，人類創造文明文化，手的靈巧同樣重要。靠著手、腦的無間配合，文明文化才能夠具體出現。所以，就文明文化而言，人和其他動物的差異，在於人類會利用雙手製造物件。種種的物件之中，工具對於人類發展進步最為有用。工具種類眾多，在歷史上，由簡而繁，由單一而複合。最後，人類製造出各種複雜機器。人類作出機器這件事，不只是方便生活而已。從生物進化角度看來，發明機器這件事，可能打破物種「不斷進化」、「不能永存」的原則。

生物的進化，其動機在於需要；為求生存而改變自身生理的需要。例如老鷹的視力與飛行力、獵豹的速度、抹香鯨的抗壓能力，等等。這種種的特別生理機能，都是動物在優勝劣敗、適者生存的環境中，因應實際需要而進化出來的。人類是一種動物，當然在環境改變的時候，也會因為需要而進化。但是，自從人類製造機器之後，便不需要改變自身生理來適應環境；人類會用各種機器來適應環境、滿足需要。甚至，利用機器改變環境，讓環境來適應人類。

隨著文明進步，人類製造出來的機器，其功能與效果，已超過其他生物長時間進化，得來的特殊生理機能。人類可以比老鷹看得更遠，飛得更高，比獵豹跑得更快，比抹香鯨潛得更深。人類所有的需要和慾望，都可以利用機器逐步達到。人類沒有進化麼？也許我們可以說，人類通過另外一種方式進化；利用機器進化。只是，我們不習慣這樣形容自己的生物特性。

定義常常是理解的關鍵；當我們說生物進化時，普遍認定：機能和生物體不能分離。例如：視力是老鷹身體的一部分，肌肉力是獵豹身體的一部分，抗壓力是抹香鯨身體的一部分。人類靠機器進化，達到相同結果的這件事，在定義上，很多人難以認同。很多人認為，機器和人體並不合而為一，而是分開的。這種強調形式而不強調功能的進化定義，或許已經過時。何況，僅僅就形式而言，人類和機器也早已結合，不能分開了。

以身邊的例子來說罷：眼鏡，手錶，手機等等，都是小機器。這些小機器的功能，某些動物經過進化後，也能夠獲得。（例如：隼形目的清晰視覺，冬眠動物的時間掌握，海洋哺乳類的遠距離通訊）只是，人類沒有經過進化，獲得這些能力，而是經過發明機器，獲得這些能力。並且，人類已然完全依賴這些小機器；沒有攜帶它們，根本不能走出家門，進行生物的覓食、求偶活動。這就是定義問題。攜帶和結合是不是一樣的事情？如果必須攜帶、不能不攜帶，是不是就是結合？攜帶（甚至可以更換）是不是結合的更高層形式？如果結合的意義如上所述，那麼，人類早就和機器結合，並且可以隨時因其需要，而調整、更換其結合物的各種功能。人類，根本是半生物半機器的生命體，只是，我們不習慣這樣形容自己的生物特性。

人類這種半生物半機器的物種－其生物部份，因為機器的優越表現，而不再需要進化。其機器部分，因為擔負生命的進化角色，比重越來越大。除去增強功能的機器不斷出現，代替衰老損壞部份的機器，也必然推陳出新，廣為應用。基本上，生物部分越來越少，機器部分越來越多，超乎想像的「新人類」終將出現。這種「新人類」的出現，關係著人類這個物種，能不能永存的問題。在進化上，所謂物種不能永存，就是絕種。關於絕種，又可以分兩方面說明。

第一，物種的絕種，是因為進化速度趕不上環境改變速度，完全滅絕了。人類靠機器進化，可以解決速度上的問題。當人類靠機器進化，而不靠生物進化時，大大縮短了適應環境的時間。人類可以用極短時間，取得其他物種極長時間獲得的進化效果。也即是說，人類可以在環境尚未達到不能克服的艱難以前，找出解決辦法。人類將依靠機器，躲避天擇的規律，得以永存。這是人類這種物種，可以永存的科學推測。

第二，物種絕種的情形，也可以是：雖然進化而得以存在－可是，它已經不是原來的「它」了。（包括形式和實質）因為不能把它和原來的「它」歸為一類，所以我們說，原來的「它」絕種了。在這種觀察下，人類將因為「新人類」的出現而絕種嗎？吊詭的是，當半人類半機器的生物出現後，關於物種的絕種定義，（甚至生命的定義）也必然從新設定。那種「新人類」，和人類是不是同一個物種呢？他是人類的物種延續，還是一個新物種？在化學分析上，它的成分不同於人類，應該是一個新物種。但是在生物類型學上，它如果能夠維持人類的形態，則仍然應該被歸類為人類。「新人類」是一個在化學成分、生物類型上有爭議的生命。在這種爭議的夾縫中，人類或將在定義上被宣告絕種；但是，機器卻可以靠著人類的形體，得以永存。這是人類這種物種，可以永存的哲學推測。

淺談兩種苦惱的傳統
－從蔣慰堂的一句話說起
（完稿於 2010年1月6日）

楔子

記得上次寫蔣復璁老師，是1990年他去世的時候，我正在美國華盛頓的史密斯機構（Smithsonian Institute）作研究員。文章發表在臺灣《新生報》。轉眼間，二十多年過去，那家報紙都已經沒有了。蔣老師在臺灣做過中央圖書館館長、故宮博物院院長。我上他的課，是史學系的博士課程。他教我們「版本目錄學」，地點在故宮博物院宿舍。學期結束，他固定要請我們吃飯，那是一件大事。大約三十年前，蔣老師曾經跟我們講過，「中國知識份子的毛病，在於不謙虛」。當時我對這句話，沒有什麼了解。但是這種話少有人講，也就印象深刻，記到現在。三十年後，這句話我有了體會，便寫這篇文章，表示對蔣老師的懷念。

儒家的「舍我其誰」

在中國，儒家一直是知識界的主導學派；知識份子也多遵循其教化傳統。儒家的基本形象，大概可以用《論語》中的「溫良恭儉讓」幾個字形容。這幾個字可以代表孔子的形象，也可以代表儒家的形象。換句話說，儒家這個學派，就是以謙恭有禮的形象著稱。但是，《史記》上卻有一段奇特的記載：說兩千五百年前孔子見老子時候，老子劈頭就說孔子驕傲，說他「驕氣與多欲，態色與淫志，是皆無益於子之身」。孔子大有感觸，回去對他的學生說：今天我看見龍了！表示他對老子的佩服。

老子為什麼說孔子驕傲呢？儒家不是在行為上要求謙虛有禮嗎？老子的說法必有其深義，他絕對不是說孔子的言行舉止驕傲；如果他說孔子的言行舉止驕傲，那是與孔子形象完全相反的事情。老子到底所指何事？在說什麼呢？

儒家由孔子開宗，而孔子有一種氣味，影響到了整個儒家風格；

那就是「知其不可為而為之」的固執態度。這種固執是一種驕傲。這種驕傲，和世俗的所謂沒有禮貌無關；而是驕傲看待自己的存在（being）、面對自己的命運（fate）。在老子的立場，他認為這種強調主觀、鄙視客觀的態度，完全不實際，沒有用；所以他說「是皆無益於子之身」。老子說孔子驕傲，是指孔子以為主觀、客觀可以相對抗－理想、現實可以相對抗的態度不謙虛。老子出於一片好意，表示不要活得太辛苦了。孔子雖然受教，但是做不到。否則他也不必說老子是龍；龍代表千變萬化，可望而不可及。

然而，孔子到了一定年齡，個性也有所改變。例如他說，「五十而知天命」。司馬遷在《史記》中也說，「孔子晚而喜《易》，…讀易，韋編三絕」。可見五十歲以後的孔子，漸漸知道天命難違；知道主、客觀間的互動與妥協，是人生常態。

> 《易經》是群經之首，主要講人世的變化，與因應變化的方法。因此，它為儒家所重視，卻與儒家的氣味相反，與「知其不可為而為之」的態度相反。《易經》是一種絕對重視客觀，而配合客觀的哲學。它與儒家不同，而與道家接近。所以後來的道家、道教也重視《易經》；弄得大家不知《易經》是何家經典。事實上它是西周的書，比儒家、道家都要早得多。

孔子開始注意《易經》，表示他對存在與命運的驕傲開始有了轉變；開始對存在與命運有了謙卑的感覺。他終於了解老子要他謙虛是什麼意思。他的「加我數年，五十以學《易》，可以無大過矣」那句話，非但謙卑，且有懺悔的意思。孔子不再年輕氣盛。

雖然如此，辛苦的「知其不可為而為之」，仍然是儒家的主軸精神。子貢是這樣，（所謂「賜不受命」）孔子周圍的人是這樣，（所謂

「吾黨之小子狂簡，斐然成章，不知所以裁之」）後世的孟子、荀子都是這樣－對於個人存在不謙虛、對於命運不謙虛。這種不謙虛，孟子表現得最激烈，他說「五百年必有王者興，其間必有名世者。…當今之世，舍我其誰也」。老子說孔子的「驕氣與多欲，態色與淫志」，就是這種「舍我其誰」的驕傲。以個人而言，「我」之於社會，何其渺小；抱持著絕對高人一等的心態，與整個社會相計較，何其痛苦？以社會而言，若是人人都懷抱「舍我其誰」的心態，相互紛爭，社會何其混亂？實在講，這種心態是過份自我中心，過份自尊的表現－若是不得控制，便要走上狂妄自大的路，所謂「狂簡」是也。這是老子批孔的原因所在，也是兩千多年來，讀儒家書者的一個痛苦根源。

禪家的「惟求作佛」

儒家自漢代起，成為中國的法定學術。印度佛教自魏晉南北朝以來，也對中國有極大的影響。佛教有好多派別，彼此之間的差異性很大。以佛教的立場而言，那些差異並沒有本質上的不同，而是為了因緣說法的方便而已。佛教之各種派別，最能夠為中國知識界接受的，自然就是禪宗了。

中國佛教有八大宗派的說法。除了天台、法相、三論、華嚴四門以外，密、淨土、律、禪，是專門講如何解脫的修行法門。這四個解脫修行法門中，禪宗最能夠與中國原有的老、莊思想相結合。同時，因為禪宗不講鬼神，與其說它是宗教不如說它是哲學。這種介於宗教與哲學間的思想，很合儒家脾胃。魏晉清談，已有禪宗身影；唐宋以後，談禪更是普遍。宋代理學混合儒、釋、道三家，那釋的部份不涉鬼神，便是以禪宗為主。至於明代王陽明建立心學，也是名義上遙接孟子「求其放心」之旨，以為儒學延續。實際上，陽明禪味十足。否則王氏末流泰州學派，也不會得到「狂禪」之名了。

禪宗特點是什麼呢？那就要將禪宗與其他宗派作個比較了。禪宗所以不像宗教，因為它非常強調自修，也就是認為人可以因為修行而成佛。唐代六祖惠能到黃梅見五祖弘忍時候，二人的對話，把禪宗的風格表露無遺。五祖說「汝何方人？欲求何物！」惠能立刻頂他一句「惟求作佛，不求餘物！」六祖這句「惟求作佛」把話講得很清楚：不做和尚，不做羅漢，不做菩薩，只要作佛；其他都是「餘物」－剩下的東西！這種精神的湧現，似乎又見儒家孟子那種「彼丈夫也，我丈夫也，吾何畏彼哉？」的凌厲氣勢。而其「舜何人也？予何人也？有為者亦若是！」更是能夠和「惟求作佛」千古輝應，不過一個要成聖，一個要作佛。

就宗教而言，要作佛雖然是大氣魄，但是要作佛是苦的。這個苦處並非過程辛苦之苦，而是作佛與宗教的基本功能背道而馳。宗教很簡單，它的存在目的是予人安慰；通過對於一個未知而不得求證的信仰，讓全能者賜予保護、安慰與希望。但是要作佛，卻是通過修行，讓自己變成那個虛無飄渺的全能者。雖然佛教的佛和基督教的神是完全不同的概念，不過大致上可以講，要作佛便是要做神。既然要做神，神能給予的保護、安慰與希望便都沒有了－便要自己給自己保護、安慰與希望了。這便是禪宗作佛之苦，它的苦與儒家那種作聖的苦一樣：因為對存在與命運的驕傲，導致現實上與精神上的磨難。

宋代禪宗五派之一，法眼宗三祖永明延壽禪師在〈四料簡〉上說得好：「有禪有淨土，猶如帶角虎」。（禪宗修持加上淨土宗修持，好像老虎有了角一樣厲害）什麼意思呢？原來淨土宗講究上西天，禮拜阿彌陀佛。延壽禪師要禪子們除了一心作佛之外還要念佛拜佛。希望禪子們除了自參自修外，還要對佛菩薩表示一定的尊敬，表現一定的謙卑。

> 禪宗有「喝佛罵祖」的激烈說法。而淨土宗與密宗雖然都講神秘經驗，但是淨土宗因為強調前生後世的帶「業」問題，應該是佛教中最為講究謙卑的宗派。

進而明白：人定勝天固然不錯，天助自助又何嘗不好？除去自我修持之外，讓佛菩薩加持、幫助又有什麼不好？既然信佛，何必拒他佛於千里之外，而心中只有「我佛」呢？能夠去掉這種無意義的傲慢與固執，才是成佛之道。

孔子的「加我數年，五十以學《易》，可以無大過矣」，和永明延壽的「有禪有淨土，猶如帶角虎」，是儒家、禪宗領袖的真心法語，無上懺悔。然而，千年過去了，儒家仍舊慷慨激昂；禪宗仍舊慷慨激昂。這兩種對於中國知識份子影響最深的思想，或許在某些場景裡，造就了一些感人氣氛；但是在更多場景裡，無謂的驕傲與固執，是中國知識份子最重的文化包袱，與痛苦源頭。

蔣老師說「中國知識份子的毛病，在於不謙虛」這句話，是非常深刻的見解。

做人與做少數人
－憶吾師錢賓四先生
（完稿於 2009年9月20日）

錢穆先生是近代的國學大師。國學，指錢先生遍涉傳統舊學，難以現代學術項目歸類。大師，指錢先生的學問在博精與貫通等方面皆能得兼。國學大師，是一種極難獲致的榮譽。不過，錢先生的學術重點，還是在史學方面。我有幸忝列門牆，做過他正式的史學博士研究生。

我跟錢先生讀書，是他指導學生的最後階段－九十歲到九十二歲。當時，我剛剛自文大藝術研究所畢業，找一個與藝術相關的工作本是理所當然。（其他與我同班的同學，也都找到好工作；記得有兩位在故宮博物院，兩位在台北市立美術館）可是，有人告訴我錢穆先生在史學研究所教書，便再起了讀書的念頭。因此，我念歷史博士，可說完全是慕錢先生之名。進入史學研究所博士班後，發現老師們確是一時之選；除了錢先生外，蔣復璁先生教版本目錄、黎東方先生教西洋史學、梁嘉彬先生講外交、宋晞先生講宋史。這個陣容，沒有話說了。

那個年代，懂得尊敬人。我在藝術研究所讀書時，便幾乎完全是在故宮博物院老先生家裡上課。到了史學所後，也是如此；除了宋晞先生在校上課外，其他老師都在家中上課。其中錢先生的家最不一樣，真可以說是氣象恢弘。錢先生住在外雙溪，進了他家的大鐵門，整個院子就是一座起伏的小山，要爬很多階梯，才到「素書樓」那棟二層樓別墅。

上錢先生的課，方式相當固定。學生陸續來到之後，師母一定坐在靠窗的位子；陪著大家，也是就近照顧錢先生。然後，聽到下樓聲響；沒有人喊起立，大家自然的站起來，等錢先生出現。錢先生坐下後，會說「請坐」，大家也就坐下。兩年的時間，沒有例外。

錢先生望重士林，主要是因為他的著作。他有非常重量級的著作，例如《國史大綱》、《先秦諸子繫年》等等；他也有非常平易淺顯的著作，大致上是普遍的講解中國文化。前者讓他有學術地位，後者讓他對學術普及化有大貢獻。關於他的淺顯著作部分，比較少有人提及。似乎寫這些書籍，是錢先生學術閒暇的一種消遣。但是，從這種著作的數量上看來，錢先生對於這種「淺顯的」學術相當重視。他對於專業學術走出象牙塔這件事的了解，無論前代學者、當代學者都沒有人能望其項背。錢先生的真正價值，非但在象牙塔內，更在象牙塔外。他不只是一個學者，更是一個文化傳承者。事實上，我所以知道錢先生與重視錢先生，便是因為在軍中時買了他《從中國歷史來看中國民族性及中國文化》那本書。那本書就是所謂「淺顯的」學術，是他在新亞書院的演講稿。

說錢先生因為著作而望重士林，是一句內行話。因為錢先生一口濃重的無錫話，在台灣能聽懂的人少之又少。上課時候，大部分同學都表示無法理解。我因為家庭裡各地長輩來往多，聽懂雖然不是問題，卻也吃力。錢先生可能也知道這個情況，所以他的上課內容，可以說和課程題目皆無關聯；而是信手拈來，隨意發揮。很有點聽講歸聽講，讀書歸讀書的味道。不過，話題也是圍繞著中國文化；主要是歷史與哲學。「素書樓」上課，已經是四分之一世紀以前的事。然而，錢先生說過的幾句話，卻是縈繞腦際，成為永久記憶。

錢先生講課，腳總是在地上打拍子；可以持續兩小時。我對這件事情的看法，直覺的以為是一種修養；一種和戚繼光打仗手中數念珠的類似工夫。這個動作，可能有讓他心情安定的作用。我對錢先生講課的記憶，都是他一面腳打拍子，一面娓娓道來的印象。他最愛說的兩句話是「讀書在於做人」、「讀書在於做少數人」。

「讀書在於做人」這句話，可以令人想到東晉袁宏的經師、人師說法。經師的教學目的，在於傳授知識；人師的教學目的，在於啟發學生；而後者難能可貴。如果把袁宏、錢穆兩位先生的教學與讀書說法合併，那麼我們可以說，教育的目的：在於學生獨立人格、個性的啟發和養成。那真是教育的崇高宗旨，完美境界了。另外「讀書在於做人」這句話，我以為和南宋張橫渠的「讀書在於變化氣質」很相近。一個人的氣質有變化，當然他的做人方式也隨之發生變化。我二十七八歲接觸錢先生，今年已經五十三了。幾十年來，我持續讀書，喜愛讀書；同時，我也始終對自己的性格不滿意，始終企求變化。並且，確實發生了變化。這種對於人格、個性的不斷求改變心態，應該是對「讀書在於做人」的一種實踐。我前面說過，錢先生的講課，是混雜著史學與哲學的。他對我的影響，顯然偏重在哲學方面。

至於說到「讀書在於做少數人」，這句話就多少有英雄氣概了。做少數人，需要多麼大的勇氣啊。多少人寧可做多數人，合於多數人的標準，隱藏在多數人的數量和觀念之下，以求庇護，以求明哲保身。但是錢先生卻要他的學生做少數人。這「少數人」三個字有多大的期許，有多大的壓力；有多少唐陳子昂〈登幽州台歌〉中「前不見古人，後不見來者」般的悲情，又有多少莊子〈庖丁解牛〉中「提刀而立，為之四顧」般的豪氣。每每想到錢老師的瘦小文弱，和他說「讀書在於做少數人」時的泰然自若，心中難免仍有澎湃。

「讀書在於做人」,「讀書在於做少數人」，是錢先生教導學生的大綱領。然而，錢先生是極為傳統的學者。他讀儒家的書，做儒家的人；也要學生讀儒家的書，做儒家的人。這裡面，就有比較大的問題了。就邏輯而言，其一：可讀之書有萬萬種，是個大集合。儒家的書，是書之一種，是個小集合。儒家的書，是所有書的一部分。其二：做人的方式有萬萬種，是個大集合。儒家的做人方式，是做人方式之一種，是個小集合。儒家的做人方式，是所有做人方式的一部分。大集合包含小集合，小集合為大集合所包含。這個道理想通了，我和錢先生的關係，便微妙了。可以說我離開錢先生遠了，也可以說，我離錢先生近了。因為，我真的把他的話聽進去，並且好好的思考過。孔子不是也說「學而不思則罔」麼？

記得《老子》第一章開宗明義便說「道可道，非常道。」道，有千萬種；每個人能夠找到自己的道，便謂之得道。而不能以一種道，做為道的惟一標準，強迫人人都遵守此道。這個道理，我應用在錢先生的「讀書在於做人」,「讀書在於做少數人」上面。同樣的，唐朝的韓愈說「文以載道」。後人罵他的很多，認為他太過衛儒家的道。事實上，這句話本身並沒有錯。韓愈要表現他儒家的「道」，我們則可以表現我們自己的「道」。藉由文字，或者藉由生命本身。這個道理，我也應用在錢先生的「讀書在於做人」,「讀書在於做少數人」上面。

近三十年來，我的行事作風真是不似儒家。我在充滿儒家思想的文學院中教書；但是，我喜歡墨家。我喜歡和中下階層朋友來往，喜歡中下階層的隨意和適意。因此，當我說錢先生是我老師的時候，總引人懷疑的眼光，似乎說「是嗎？錢先生有這樣的學生嗎？」不過，我對於錢先生是我老師，很理直氣壯。錢先生的「讀書在於做人」,「讀書在於做少數人」兩句話對我影響太大。我非但是他的學生，並且，我是他的好學生。因為我記得他的話，反覆思考他的話，對他的話提出問題，並且有我自己的答案。

學術，不應該就是這樣嗎？師生關係，不應該就是這樣嗎？

分別與計較
－談談佛教的一個基本觀念
（完稿於 2010年4月28日）

我曾經在〈我與李敖的忘年交往〉一文中，說我跟李敖談禪宗以後，「對心物問題的解釋，也開始由印度傾向中國」，我在〈相與象－淺談中印思想的原始區別〉中，也對中印人生思想的基本差異，有過論述。本文可以視為與該二文相關的系列作品；是我對佛教思想的一點批判。

佛教對於中國的影響很大。自東漢末年傳入後，歷經六朝隋唐的發展，已深入民間，成為中國人生活標準之一種。在宗教上，佛教與其他宗教的比較，是個大問題；它對於中國民族性格的左右，也是個大問題。這些問題，是民族文化上的問題。

宗教總是勸人為善。佛教強調主動的為善，也強調被動的逆來順受。逆來順受自然是善的表現，它和忍耐，有很相似的地方。只是現世中的忍耐，有忍辱負重、忍辱待時的積極性。而佛教的忍耐，卻有完全放下的意味。這種完全放下，是對於人生本質的高度認識。這種認識的建立，在於徹底了解死亡是人生的必然結果與歸宿。一個人要是真切地知道自己必死，是會放下很多事。問題是，一個人得知自己必死，和一個人要不要在死前好好活，是兩碼事情。就像鞋帶繫上了，終究要解開。難道因為它終究要解開，我們就不把它繫上嗎？

佛教勸人放下，基本上，其道理的根源在於因果。認為若是不放下，而與各種逆境相抗，便會造業，便會形成下一輪事件的因。有因即有果，因此煩惱不斷。這種業，不但在這一世發生作用，還影響下一世。有人不願意現世有煩惱，有人怕下世受惡果，所以，放下就成了佛教的重要旨趣。而放下的方法，在佛教而言，可以大約分為兩種：一是被動的由戒律來約束之，使人不得不放下。一是主動的透過各種修行，使人面對逆境，而不生分別心－面對事件，不見其利弊得失的分別差異。

不生分別心，是佛教的重要觀念；甚至，分別心的有無，可以看作佛法果位的指標。有分別心是眾生，無分別心是佛菩薩。這種分別心的減少，的確是離去煩惱的妙方。但是分別心要減少多少？是不是可以無限制的減少？對於深究佛法，而非盲目信從的佛徒而言，是個應該思索的問題。

事實上，人的分別心，自嬰兒出世便已開始。嬰兒對事物的第一個分別，大概是冷熱。隨著年齡增長，漸漸的由分別而會分類；又漸漸的由分類而會分析；以至長大成人。人若是如佛教講的完全沒有分別心，就是由分析而退至分類，由分類而退至分別。最後，進入心智喪失的，不如一個嬰兒的，無分別無反應狀態。一旦他人對自己做什麼事，完全沒有分別沒有反應，也就失去了生物應該具備的趨吉避凶本能。由他人操縱生活、生命甚或生死的人，是不必存在的生命體；

因為，活著還是死了，也沒有什麼分別。死了，也就算了；活著，也是苟活。這種思想，和生物的求生意志相反。這種不分別的無反應思想，真是一種徹底的虛無思想。它對於個人，團體，甚至一個物種，沒有什麼好處。

怎麼辦呢？其實分別和不分別，並不是絕對的兩極化。凡事兩極化，就是極端，佛法不是要講圓融嗎？（中國傳統的諸子思想，特別是重量級的儒道二家，則更不講極端，更講究圓融）在分別與不分別之間，在所謂的世間法與出世法之間，並不是完全地沒有空間。禪宗六祖惠能和尚於《法寶壇經》上就說過「佛法在世間，不離世間覺。離世覓菩提，猶如求兔角」。同樣的，不分別這種出世的觀念，也可以有入世的講法。那就是：並非不分別，而是分別後不計較。

沒有疑問，計較是件壞事。當然，那也要看計較什麼事。我常喜歡說，「和小人物計較，就變成小人物。和大人物計較，就變成大人物。和時間計較，就變成歷史人物」。這個說法，也武斷了些。不過我真的把它寫下，視為座右。記得見過一個偈子：「何必多計較，自有大乘除」。文辭雖然粗糙，卻極有見地。不計較，是理智的行為：是對於事情原委透徹分析後的理智判斷；是對於與自己生命主軸無關的逆境一笑置之。不計較，非但有睿智的氣味，還透著三分瀟灑。它看似與不分別一樣，不對世事反應。但是雖不反應，卻有精緻的原因；雖不反應，卻是為了更有效率的發展。這種不計較的無反應，充滿生趣。

佛教說不分別，我看出不分別的問題。我提出不計較的說法，代替不分別。以不計較代替不分別，是我對於佛教的一種批判。因為不計較是理智的，生命操於自己手中。不分別是不理智的，生命操之於他人手中。

佛法清淨優美，但是，每每想到人因為不分別而可能導致的種種，不禁有悲憫的感覺生出。

分析佛教的四大修行法門

（完稿於 1998年1月15日）

佛教法門可以分析嗎？佛教有「八萬四千法門」說法，可見法門多到難以分析。一個人成為佛教徒時，要發〈四弘誓願〉，其中更有「法門無盡誓願學」一句。那麼，法門就多到根本不能分析了。事實上，佛教的修行方法，還是有幾個基本路數。並且，修行路數的不同，也是形成佛教派別不同的重要因素。這幾個基本的修行法門，不但程度上涵蓋了其他法門。同時，在不同派別相互影響的時候，它們也隨之滲入不同教派。所謂「合修」－顯密合修、禪淨合修等等修行方法，就是這樣來的。佛教的基本修行法門有四個，我稱它們為－「四大修行法門」。

佛教對中國的影響很大，各種名辭術語、觀念規範，多已融入中國文化之中。喜歡看武俠小說的人，都知道江湖上有八大門派。這種說法，就是從佛教引申過去的。因為佛教在中國，也有八大宗派。

佛教八大宗派是指三論宗、天台宗、法相宗、華嚴宗、禪宗、律宗、淨土宗和密宗。其中前四大宗，多談論佛教理論與教義，與修行者的直接關係比較淺。而後四大宗，我稱之為四大修行法門；它們也談理論教義，但是更強調如何修持修行，如何解脫人生痛苦。佛教若是沒有這四大宗派，就不近宗教而近宗教哲學了。佛教喜歡講因緣說法，表示每個人資質不同，可以採取不同的修行方法；頗有一點儒家因材施教的味道。本文所說的四大修行法門，差異性很大。這四個法門有境界高下，卻沒有對錯好壞。人心本來不同，由其所好也是當然。

說到四大修行法門，先要明白修行是一種什麼活動。佛教出自於印度，它的基本理念，以為人生痛苦。生、老、病、死都是苦，苦是人生最大問題。所以佛教的修行，就是要去掉人生之苦。修行目的，就是要離苦得樂。這種說法，觸及了宗教的核心。人之所以願意有宗教信仰，都是因為有痛苦而不得解決。所有宗教的目的，其實都很類似。知道佛教修行在於離苦，便可以說四種離苦的方法了。首先說第一個法門，密宗。

密宗又叫真言宗。佛教的教派有顯、密之分，除了密宗外，都是顯宗。因此，密宗在佛教獨豎一幟。密宗解決痛苦的方法，是誦持咒語。密宗以為人世間的各種問題，都可以找到相對應的神靈神祉。在眾多神靈神祉間，找到對應對象，便以咒語來與之溝通。久而久之，便生靈感。求財、求壽、求人、求事，任何有所求而求不得的世間煩惱，都可經由神靈加持，獲得解決。淺言之。密宗以為，讓神靈直接幫助我們，是解決痛苦之道。深言之，密宗以滿足世間慾望，作為解決痛苦之道。這種方法，在世界各地的信仰中都很普遍。不過，密宗特殊處，在於其神靈眾多而有系統。密宗可以說是佛教修行中，最簡單直接、不需深思的修行。它和原始巫術的心理模式差不多，和道教的鬼神觀也很相像。

比密宗較為深思的第二個法門，是淨土宗。理論上，我們可以說，淨土宗對密宗提出了問題。因為提出問題，淨土宗的境界超過密宗。淨土宗的問題是：現世之樂，怎可和來世之樂相比？淨土宗以為，在現世中求神靈相助，不若在來世中求完全解脫。因此，淨土宗強調上天堂，往生阿彌陀佛西方淨土。這種重視死後世界的概念，與基督教有非常相似的地方。為了求得來世之樂，此宗教徒特別重視業（Karma）。善業積多，便上天堂。否則，惡業積多，便墜入地獄。至於此生為何痛苦呢？那是因為前世造了惡業，因此今生便要還業受苦。所謂「要知前世因，今生受者是。要知來世果，今生作者是」。最能說明淨土宗的修行理念。淨土宗的業，和基督教的原罪，也有非常相似的地方。

淨土宗看來比密宗想的多一些，精神性一些。它也有由泛神而一神（阿彌陀佛）的發展傾向。不過，也正因為它太重來世，而給人不入世的感覺。佛教的消極避世印象，多由淨土宗的修行觀念而來。淨土宗的離苦方法，是以想像的未來之樂，平衡現世的實際之苦。甚至，基於業的觀念，以苦為樂－盼望現世極苦導致來世極樂。

淨土宗和密宗，是佛教的基本修行法門，信仰的人數也最多。它們一個類似基督教，一個類似道教。可見在普世的宗教觀念中，它們並不特別。宗教本來就是依靠（依賴）神靈的力量，或求現世福祉，或求來世福祉。然而，佛教還有另外兩個修行法門，就有趣味了。這兩個法門的特色，在於自律、自在而非依靠、依賴。它們少了宗教家的熱情，而多了科學家的冷靜。那就是律宗和禪宗。

第三個修行法門，就是律宗。理論上，我們也可以說，律宗對淨土宗又提出了問題。因為提出問題，律宗的境界超過淨土宗。律宗的問題是：神靈與天堂之差別，到底何在？二者，不都是不可知世界嗎？無論現世來世，寄托於不可知世界，是一種感情用事。律宗不感情用事，律宗非常實際。律宗以為，神靈、天堂都不可恃，但是人生痛苦卻是真實。痛苦的解決不在神靈與天堂。因為痛苦的來源也不在神靈與天堂。痛苦的來源是慾望－不得滿足的慾望。

因為痛苦來自慾望。律宗認為，痛苦和慾望可以劃上等號：沒有慾望，就沒有痛苦。最好的解決痛苦方式，就是減少慾望，禁止慾望。以律（戒）這道柵欄，把所有的慾望，統統擋在門外！在家守五戒。出家守十誡，（沙彌戒）守二百五十誡，（比丘戒）守三百五十戒！（比丘尼戒）這不可做，那不可做，任何和慾望有關的事項都不可做！這樣，就不會因為慾望，而產生不滿足的痛苦；痛苦就會消失。律宗的律（戒）觀，可以說是一種刺激、反應理論。減少刺激，就降低反應；停止刺激，就杜絕反應。律宗可說已離開宗教，而進入行為心理學的領域－只是，有點把人當小白鼠看待的「實驗」味道。

律宗是理智冷靜的，但是律宗是異常苦行的。它的刺激、反應說法固然有理，但是以律（戒）禁止刺激、停止反應，對常人言，卻是更大的痛苦。因此律宗雖不感情用事，卻營造了一個既實際又不實際的境界－它的觀念實際，它的作法不實際。這個境界，常人很難企及。因此，律宗是佛教諸宗派中，備受冷落的一支。

最後，說第四個修行法門，禪宗。禪宗是思想最深刻的佛教宗派，也是對中國影響最大的宗派。理論上，我們還是可以說，禪宗對律宗又提出了問題。因為提出問題，禪宗的境界高於律宗。禪宗的問題很簡單。它問：痛苦和慾望的關係，我可以明白；但是，為什麼，你說的諸般痛苦，我都沒有感覺？

禪宗的問題太奇妙了。好似一群和尚，正襟危坐地研究著痛苦和慾望、研究著如何遵守戒律來擺脫慾望。忽然，進來一個莽漢，劈頭就問：你們在說什麼？我們怎麼還不開飯？

禪宗這個「沒有問題」的問題，對於律宗和其他宗派而言，真是山搖地動。因為無論談神靈、談天堂、談戒律，其前題必須是「有問題」：有痛苦這個共有問題，共有經驗；才可以藉由神靈、天堂、戒律來解決這個共有的痛苦。可是禪宗卻說，共有痛苦不存在；因為，痛苦經驗不共有。痛苦沒有共相，只有殊相；它因人而異，每個人對痛苦的反應都不同。舉例來說：一位青春少年，面對失戀痛苦，其反應或是自殺，或是從此拒絕愛情，或是一年後、三個月後，甚至三天後接受另一個愛情。禪宗就問這種問題：為什麼面對失戀痛苦，可以有這麼極端的五種反應？失戀的痛苦指數是多少？各種痛苦的指數又是多少？人生痛苦，到底有沒有客觀性？

淨土宗和密宗很接近，只是淨土宗進一步把依靠對象「濃縮」了，把依賴對象簡化了。禪宗和律宗也很接近，只是律宗認為慾望是刺激，痛苦是反應；而禪宗則看見了大家對痛苦的反應不同。禪宗認為，痛苦反應不同，只說明一件事：痛苦沒有指數，不能測量。因為痛苦不是客觀事實，而是主觀感受。每個人的感受不同，因為每個人的心（感受器官）不同。因此，「心病還得心藥醫」；主觀的問題，要從主觀上解決。解決痛苦，唯有修心－改變我們的心。禪宗不像律宗受制於刺激、反應，而是要打破刺激、反應的固定模式；徹底解放痛苦反應－解放我們的心。也因此，「酒肉穿腸過，佛在心中坐」雖然是玩笑話，倒也說明了禪宗的一些觀念。禪宗不怕酒肉，禪宗也不怕酒肉和佛心之間的矛盾。因為，禪宗修行者，有跟一般人不同的心。禪宗不依靠、依賴什麼，因此禪宗也不害怕什麼；不怕鬼神、不怕天堂地獄，甚至不怕慾望。也許，禪宗真正找到了解除痛苦的答案。那個答案，就是修心－安我們的心；定我們的心；改變心的反應模式。

四大修行法門，可以說各有修行方法，各有法寶：密宗持咒，淨土宗積善，律宗守戒，禪宗修心。前二者是有神論，寄托希望於未知。後二者是無神論，解決問題以理智。至於如何取捨，佛教界總是說慧根不同、智慧不同，故而法門不同。我以為，更實際的說法，是每個人的勇氣不同。四大法門的不同，源於眾生面對現實的態度不同。而要不要面對現實，不是由智慧決定，而是由勇氣決定。

佛教多談慈悲、智慧，而少談勇氣。勇氣二字，實為佛教修行的核心，如何修行的關鍵。我們選擇不同的法門修行，是因為智慧不同？還是因為勇氣有異？這個在佛學中被人完全忽略的問題，找機會再來講罷。

《心經》的義理邏輯問題
（完稿於 2012年5月5日）

觀自在菩薩。行深般若波羅蜜多時。照見五蘊皆空。度一切苦厄。舍利子。色不異空。空不異色。色即是空。空即是色。受想行識。亦復如是。舍利子。是諸法空相。不生不滅。不垢不淨。不增不減。是故空中無色。無受想行識。無眼耳鼻舌身意。無色聲香味觸法。無眼界。乃至無意識界。無無明亦無無明盡。乃至無老死。亦無老死盡。無苦集滅道。無智亦無得。以無所得故。菩提薩埵。依般若波羅蜜多故。心無罣礙。無罣礙故。無有恐佈。遠離顛倒夢想。究竟涅槃。三世諸佛。依般若波羅蜜多故。得阿耨多羅三藐三菩提。故知般若波羅蜜多。是大神咒。是大明咒。是無上咒。是無等等咒。能除一切苦。真實不虛。故說般若波羅蜜多咒。即說咒曰。揭諦揭諦。波羅揭諦。波羅僧揭諦。菩提薩婆訶。

（《心經》－唐玄奘法師譯本）

楔子

佛教，帶給我很多安慰，也現示過一些不思議；讓我對人生、宇宙有更為廣角的思考與認識。在接受佛教的過程中，打坐、冥思、念聖號、念經文等等修行方式，我都長時間認真以對。佛教有所謂八萬四千法門的說法，也即是說，個人可以依據喜好、心態，選擇自己最能夠接受的方式修行。這種方便，是其他宗教沒有的。這種方便，顯示了佛教的包容性和真正濟世濟人的態度。

雖然修行方式各異，但是佛教的任何派別，對於讀經典，都視為基本要求。因為不讀經典，對佛教不可能有深入的了解。對於不深入了解的東西，怎麼談的上信與不信呢？佛教經典中，我很喜歡《金剛經》和《心經》。《金剛經》和《心經》，是佛教的核心經典。《金剛經》講客觀的相，我很有興趣。《心經》講主觀的相，我更有興趣；並且可以背誦。背誦《心經》，是佛教徒基本的功課。它只有兩百六十個字，又簡單，又深奧。有人背誦熟練，鎮日耳中就是這兩百六十個字；感覺到無上法喜。

《金剛經》講相，是為了破相，是為了讓人了解相的虛幻。若是讓虛幻的東西影響自己，多麼划不來。因此，《金剛經》藉著釋迦摩尼和須菩提的對話，反覆運用一個公式，闡述名相的虛幻。（名是聽見的幻，相是看見的幻）那個公式為：「佛說…即非…是名…」。白話可以翻譯為：我說的那個，並不是那個；只是給它一個名字，稱呼它為那個。（那個，可以泛指智慧、功德、淨土、大千世界、佛…等等）這個「佛說…即非…是名…」的公式，貫穿整部《金剛經》，它是釋迦摩尼的智慧和婆心；是打開佛法的鎖匙。以這個公式來看世界，世界變得不一樣。

《心經》和《金剛經》關係很密切。一來，它與《金剛經》相同，講解相的虛妄問題。二來，《心經》是觀音菩薩受佛陀指示，替佛陀演講的佛法。我喜歡《心經》，並且從中獲益良多。但是，二十年前接觸《心經》時，便認為《心經》裡有一種邏輯上的矛盾。這種矛盾，讓《心經》的義理前後不連貫。二十年過去了，我的想法依然沒有改變。現在把這個想法寫下來。

一個邏輯問題

大致講起來，《心經》可以分為前後兩個段落。前段，是《心經》的義理部分。自經文開始，到「無智亦無得。以無所得故」。後段，是《心經》的例證部分－講依法修行者，如何獲得了大利益。自「菩提薩埵。依般若波羅蜜多故」開始，到經文結束。就學術而言，前段才是《心經》的重點，才是《心經》的思想所在。

在《心經》的前段中，觀音菩薩對舍利子說法；說明「不分別」的大義。首先，觀音菩薩說：

> 色不異空。空不異色。色即是空。空即是色。受想行識。亦復如是。

這幾句話，是《心經》的精華。因為，「色」是有形相，「空」是無形相；「色」和「空」相對相反、絕對不同。但是，觀音菩薩說「色」和「空」沒有不同－「色」就是「空」，「空」就是「色」。如果「色」「空」這樣的絕對相對，觀音菩薩都不分別，那麼其他的諸般大、小相對，觀音菩薩更不分別了。

這裡面，並沒有哲學上的辯證問題；所謂由相對而統一。因為，佛法並不辯證。佛法不統一相對，不思索相對，而是根本地否定相對－看不見相對，聽不見相對，感覺不到相對。這種對於相對事物的態度，的確是人類思惟上的驚人說法。至於說「受想行識。亦復如是」，則是把抽象的否定相對觀，落實在人生上。這個部分，不是理論而是經驗；一般人在生活中，實在很難做到。（我在〈分別與計較－談談佛教的一個基本觀念〉中，提出以「不計較」代替「不分別」的說法）接著，觀音菩薩說：

是諸法空相。不生不滅。不垢不淨。不增不減。

上引文的後三句，生滅、垢淨、增減，各為相對義。「不生不滅。不垢不淨。不增不減」也就是不生滅、不垢淨、不增減－合於前述否定相對的義理原則。但是，那一句「諸法空相」出現了問題－它不合於否定相對的義理原則。在「色空不異」的觀念下，諸法應該既是空相，又是色相。說「諸法空相」，就是在「色」「空」中選擇其一。既然選擇其一，就表示本來有二。有二，就是承認相對。如果承認相對－承認「色」、「空」相對，便和前面的「色空不異」義理矛盾了。這個矛盾，在下面的經文中，繼續出現。

是故空中無色。無受想行識。無眼耳鼻舌身意。無色聲香味觸法。無眼界。乃至無意識界。

既然「色空不異」，怎麼會「空中無色」呢？應該空中可以無色，也可以有色。可以「無受想行識。無眼耳鼻舌身意。無色聲香味觸法。無眼界。乃至無意識界」，也可以有「受想行識」、有「眼耳鼻舌身意」、有「色聲香味觸法」、有「眼界」、有「意識界」啊。否則，還是落入選擇，落入一方；怎麼能合於「色空不異」的不分別義理呢？奇妙的是，在這種落入一方的說法後面，接著出現這樣一句話。

無無明亦無無明盡。乃至無老死。亦無老死盡。

這句話中，「無明」和「無明盡」前面各有一個無字；「老死」和「老死盡」前面各有一個無字。這兩個無字，否定了「無明」和「無明盡」、「老死」和「老死盡」的相對。這種否定相對，不落一端的說法，使得義理又回到「色空不異」的境界。接著這句話的，是《心經》前段的最後幾句話：

無苦集滅道。無智亦無得。以無所得故。

這幾句話，讓《心經》再度轉折，再度進入選擇和相對之境。因為，按照「色空不異」的義理，應該是「無苦集滅道。無智亦無得。以無所得故」的同時，也有苦集滅道，有智亦有得，以有所得故。

《心經》中的「空」「無」兩字多次出現，讓《心經》有不同的義理境界。一是否定相對的「色空不異」境。一是肯定相對的「色空有異」境－只是在「色」與「空」的相對中，選擇了「空」境。這種出入兩境情況，是《心經》經文上的一種奇異矛盾。

幾種可能原因

專門闡述不分別境的《心經》，確實存在著兩個境，確實存在著邏輯問題。我以為，這些問題的產生，有幾個可能原因。

（一）簡單的說法：《心經》的原始抄錄，有類似中國古書的「錯簡」現象。也就是說，把不同的經文抄在一起。這裡又可分為兩類：

A 如果《心經》中「是諸法空相。…是故空中無色。無受想行識。無眼耳鼻舌身意。無色聲香味觸法。無眼界。乃至無意識界。…無苦集滅道。無智亦無得。以無所得故。」這幾句是錯簡；把這幾句去掉，則《心經》講的便是純然的「色空不異」法；和後段諸佛菩薩依法修行得大利益，是相合的。那麼，《心經》是講不分別的經典；《心經》講的是究竟法。

B 如果《心經》中「色不異空。空不異色。色即是空。空即是色。受想行識。亦復如是。…不生不滅。不垢不淨。不增不減。…無無明亦無無明盡。乃至無老死。亦無老死盡。」這幾句是錯簡；把這幾句去掉，則《心經》講的是一種破相法；它和《金剛經》的義理一致。但是它不是究竟法，而是方便法。它讓人看清了相的虛幻，但是沒有涉及相與非相，虛幻與非虛幻間的終極問題。這種不講「色空不異」，而僅只看破色相的法門，能不能讓後段經文中的菩薩、佛修成正果？達到「究竟涅槃」與「得阿耨多羅三藐三菩提」境界？喜愛佛法的人，應該會有清楚答案。

（二）複雜的說法：《心經》沒有任何抄錄上的問題；它本來就是這樣。這裡又可以分為兩類：

A《心經》中，觀音菩薩先後稱呼舍利子兩次。第一次稱呼後，講的是「色不異空」那一段究竟法。第二次稱呼後，講的是「空中無色」那一段方便法。這種可能性，產生下面兩個問題：a《心經》後半的諸佛菩薩，到底是依據究竟法、方便法哪一種法而得道呢？偉大經典，應該不會這樣論述。B 第二次稱呼後的方便法中，怎麼又夾雜「不生不滅。不垢不淨。不增不減」、「無無明亦無無明盡。乃至無老死。亦無老死盡」這些究竟法呢？偉大經典，應該更不會這樣論述。

B《心經》沒有抄錄上的問題，也沒有因為稱呼舍利子兩次，而有究竟、方便的不同；那恐怕就是有翻譯上的問題了。《心經》原始文字中的「空」「無」，或者有多重的意義；非漢文的「空」「無」二字所能概括。

結語

佛教是很好的宗教，佛教經典，是很能啟發人的思想讀物。其中《金剛經》和《心經》，是我最喜歡的經典。《金剛經》是釋迦摩尼講述的，該經的結構很完整；只講述一種境。我稱之為「離相入空」境。這種境不是修行的究竟，但是開啟了修行的門徑。（如果說，《金剛經》是佛家最重要的「入門書」，可能很多人又不樂意聽聞了）

《心經》是觀音菩薩代替釋迦摩尼講的一部經。根據該經的後段，可以知道《心經》是談究竟，而不是談門徑的經典。（菩薩、佛依此修行，都「究竟涅槃」「得阿耨多羅三藐三菩提」了）可是，《心經》的理路不是很清晰。它混雜著兩種境：又講門徑，又講究竟。既有與《金剛經》一致的「離相入空」境，又有更高層次的「色空不異」境。兩境交互參雜，沒有條理，沒有邏輯。

《心經》是非常有價值的經典。歷史上有價值的東西，容易遭人覬覦，遭人擁護，而以為權威。凡是成為權威的東西，便不可更改動搖了。然而，價值和權威沒有什麼關聯；甚至兩者還常居於背離的兩端。站在護衛權威的立場，我們喜歡對於難以解釋的經典，予以強解；因為，唯有維護權威，才能成為權威的一部份。站在護衛價值的立場，我們則應該拂拭價值上的塵埃浮土，讓價值的光輝更為顯露。中國有個好聽的語彙，叫做衛道。衛道是什麼呢？是護衛道的現世權威？還是護衛道的永恆價值？這個問題，是我寫完〈《心經》的義理邏輯問題〉後，要繼續想一想的事情。

智慧真相－佛法的知、行與隱藏
（完稿於 2013年10月28日）

孫中山說過：「思想、信仰、力量」。他認為，思想、信仰、力量之間，有一種邏輯上的關係－思想的深刻化，便產生信仰；信仰的具體化，便產生力量。這種關係顯示出：思想存在的目的，便是為了獲致力量。類似見解，西方的笛卡爾也說過「我思故我在」。（思想，決定他的存在與否）只是孫中山是革命家；對思想的要求，除了知，還要行。笛卡爾是知識人，能夠到達知的地步，也就滿足。

我主張思想家要知行合一，不過我對於知、行的先後次序，有看法。先秦諸子都能夠知行合一：孔子、墨子、老子、韓非子齊聚一堂，絕不會是看來雷同的四個教授樣子。他們都有不同的背景、經驗，並且，經由不同的背景、經驗，總結出不同的思想路數。他們都可以知行合一，（可見，王陽明講知行合一，並不是發明了一種思想，只是發明了一種術語）並且還是「先行後知」。（以一生行為，歸納出一種想法；而非根據一種想法，模鑄出一生行為）「先行後知」才是思想的創造者，「先知後行」已經是思想的追隨者了。同為知行合一者，其間卻有很大的差別。

佛教是不是一種思想呢？佛教當然也是一種思想。只是，它不是政治、經濟思想，而是人生思想－指導人類如何過活的思想。因此，佛教的存在目的，也是通過「思想、信仰、力量」過程－轉化佛學思想為佛法力量。

佛教傳入中國，大約兩千年。國人對佛教的了解，可以說趨於兩極化。一者，以為佛教的諸佛菩薩，和其宗教神祇相同；可以與信徒發生感應，可以息禍降福。一者，以為佛教與其他宗教很不相同；不同處，在於信徒可以通過修行，而晉身為佛菩薩。這兩種看法的依據，自然是由佛教的兩大宗派－淨土宗與禪宗而來。淨土宗講究上天堂下地獄，的確和西方宗教很類似。禪宗呢，講究立地成佛；講究因為開悟而與佛等同。

不過，兩千年來，儒家孔子的理性態度（「不語怪力亂神」「敬鬼神而遠之」等）始終與天堂地獄相抗頡。因此，儘管淨土宗也相當受歡迎，卻無法真正接管中國思想界，使中國變成一個西方定義下的宗教國家。相對淨土宗而言，禪宗地位顯然不同。禪宗輕鬆宗風，接近中國原有的道家思想。（特別是莊子）因為受到知識份子的喜愛和推崇，禪宗在中國的佛教宗派中，獨樹一幟。甚至到了宋朝，思想界融合儒、釋、道而匯集為理學的時候，那個釋的部分，就是禪宗。禪宗是完全被中國接受、吸收的一種佛教宗派。

禪宗或者與道家接近，但是絕對有異於道家的地方；那便是它的修行觀念。禪宗的修行以開悟為核心。開悟就是開智慧；開智慧，修行者便與諸佛菩薩等同了。然而，智慧是什麼呢？（「智」字之於佛家，很像「氣」字之於道家；用處多廣，難以定義。大凡「舊瓶裝過太多新酒」的文字，都有這種「言語道斷」的情況）或者，我們先用邏輯中的「刪去法」，說說智慧不是什麼罷。首先，智慧不是聰明。因為佛教不重視聰明，聰明是世間法中的鬥爭機巧。其次，智慧不是智商。因為智商顯有高低，但是眾生平等皆有佛性。（有佛性自然有佛智）那麼，智慧應該是什麼呢？我認為，佛教說的智慧，是「選擇力」。（power of selection）選擇力和判斷力（good judgment）似乎一樣，卻又很不一樣。判斷力是知，「選擇力」是行。判斷在先，選擇在後。了然於胸和具體行動之間，有一道高大的門檻。

人類智力，受制於先天；青春期以後，便不容易有大改變。但是「選擇力」，卻會因為觀念的改變而改變。會改變的事物，才和修行有關。如果一種事物，基本上不會有什麼改變，那麼，怎麼修也修不出結果來。在佛教中，智、愚相對－智慧的相反即是痴愚。愚也不是智力問題，而是缺乏「選擇力」；不能做出適當的選擇。（古人說「宋人多愚」，是指宋人固執不通－國王宋襄公是其代表人物。宋襄公不是智力不夠，而是錯誤觀念導致了錯誤選擇：與楚國作戰，在戰場上高唱仁義，結果「傷股，三日而死」－被敵人傷了屁股，三天就死了）

佛教說的智慧，就是「選擇力」。任何人皈依佛教的時候，師傅都會唸一個偈子，作為佛法傳承。偈曰：「諸惡莫作，眾善奉行，自淨其意，是諸佛教。」這個偈子來源很多，不少早期翻譯的佛經中，都曾出現。佛法說的善與惡，可以是道德上的對與錯；也可以不是道德上的對與錯，而只是兩種相對的選擇－對的選擇為善，錯的選擇為惡。（「自淨」兩個字，當然自我修持的意味很濃厚）所以「諸惡莫作，眾善奉行」這句話，就是「不做各種錯的選擇，做各種對的選擇」。一個人如果總是作對的選擇，當然離苦得樂；可以稱為有智慧了。然而這句話理解容易，做到很困難。因為。理解是「知」做到是

「行」。理解，或者便可以判斷，但是唯有做到了，才算是選擇。這是我不斷強調「選擇力」－認為選擇是一種「力」的原因。「力」和「行」之間的關係，是一而二、二而一的。有「力」方能行，欲「行」則必得有「力」。

佛智，不是聰明、不是智商，也不是知識。佛智，是一種經由觀念改變而獲致的精神「力」。這個「力」，和孫中山說「思想、信仰、力量」的那個力並無二致。這個精神的「力」，當然就是勇氣！除了勇氣，還有什麼是精神力呢？或者有人以為，精神力和意志力接近。意志力，不是勇於面對世界與自我的力麼？那個力不是勇氣，又是什麼呢？

試看《佛種姓經》罷：佛陀的修行緣起，是因為「遊四門，觀四相」，看見了「生老病死」。佛陀見著「生老病死」，為什麼就開始修行呢？一般說法，是他起了煩惱迷惑之心。煩惱迷惑，不是對於不能解決的事、無法理解的事產生的恐懼麼？「多麼可怕的人生啊！」不是悉達多太子的內心寫照麼？「多麼可怕的人生啊！」不是所有接觸佛教者（或者接觸其他宗教者）的內心寫照麼？佛陀的菩提樹下開悟，不是因為他不再恐懼四相，敢於面對這個婆娑世界了麼？《大般涅盤經》講到諸法真諦時，連說六句「不可說」。是什麼事情那樣的不可說呢？（這個「不可說」不是一句玩笑話。《大品般若經》《大方等大集經》等大乘根本經典，也都提到佛法的「不可說」）

再試看《法寶壇經》罷：唐朝時候，六祖惠能見五祖弘忍。弘忍問「欲求何物？」惠能答「惟求作佛，不求餘物」。幾番對話之後，弘忍說「這獦獠根性大利」，把他支到伙房劈柴，掩人耳目。惠能不識字，這「根性大利」四個字，是指惠能的聰明、智商、知識，還是指惠能的勇氣呢？五祖弘忍最後傳衣鉢，給了這個敢於選擇做佛，將菩薩、羅漢、天堂、鬼神（甚至和尚）都視為「餘物」的「獦獠」。弘忍賞識惠能什麼資質呢？

宗教的目的都很相似，都是要經過「思想、信仰、力量」的過程，使信眾獲得勇氣，以為生存的精神支柱。佛教說的那種因為修行、開悟而獲致的力量，就是勇氣。至於說，明明是勇氣，為什麼要叫它智慧呢？這種有話不直說的別有所指，是佛教的特殊思惟方式。

佛教說的智慧，的確是別有所指。《金剛經》的論述方式，就大量運用了這種別有所指。這種思惟法門，我在〈《心經》義理的邏輯問題〉文中曾經說過：「《金剛經》講相，是為了破相，是為了讓人了解相的虛幻。若是讓一種虛幻的東西影響自己，多麼划不來。因此，《金剛經》藉著釋迦摩尼和須菩提的對話，反覆運用一個公式，闡述名相的虛幻。（名是聽見的虛幻，相是看見的虛幻）那個公式為：『佛說…即非…是名…』。白話可以翻譯為：我說的那個東西，並不是真的有那個東西，只是給它一個名稱叫做那個東西。（那個東西，是虛幻的相，並不存在。那個什麼，可以泛指智慧、功德、淨土、大千世界、佛…等等）這個『佛說…即非…是名…』的公式，貫穿整部《金剛經》，它是釋迦摩尼的智慧和婆心；是打開佛法的鎖匙。」

明白這個別有所指道理，佛智的真相，可以思過半了。《般若波羅密多心經》（專門講智慧的經典）中，竟然出現「無智亦無得，以無所得故」（沒有智慧，得不到智慧）這樣的話，也不足為奇了。這句話，是觀音菩薩婆心，把「佛說…即非…是名」的公式講白了，把佛曰「不可說」的事情，說出來了。事實上，祂不但把智慧是「名」這件事講白，也把智慧到底是什麼？得到智慧的狀態是什麼？都講白了。在《般若波羅密多心經》的後半，觀音菩薩說，依法修行智慧，可以「心無罣礙，無罣礙故，無有恐佈，遠離顛倒夢想，究竟涅槃。」這五句話的前後關聯，就是中間那句「無有恐怖」－不恐懼。不恐懼，不是勇氣麼？佛教很柔和，不強調力量。但是《般若波羅密多心經》中的這句「無有恐怖」，卻有萬鈞之力。它直指修行的結果，智慧的真諦，涅盤的狀態。我們說佛菩薩在智慧的狀態，我們說佛菩薩在沒有煩惱迷惑的狀態；我們不是也可以說，佛菩薩在「無有恐怖」的狀態麼？那麼，祂們不是充滿勇氣，不再恐懼，敢於面對任何境況，永遠做出善的（對的）選擇麼？

宗教（包括佛教）的產生原因，都和人所共有的恐懼有關，都和如何令人免於恐懼有關。佛教在這種宗教的發展初衷上，並不特別。特別的是，它認為可以免於恐懼的勇氣，並不來自於未知的神祇，而來自於自我的修持。更特別的是，它不說修持者越來越有勇氣，它說，修持者越來越有智慧。這種特別的地方，讓佛法有神祕感；也讓接觸佛法，成為一種可以長期玩索的有趣思想活動。（如果煩惱、智慧即是恐懼和勇氣，那麼，所謂的苦與樂，又是什麼呢？我這樣直指的談佛教，好不好呢？考慮良久，最後，還是把它寫在這裡）

論因論果皆顛倒，緣起緣滅見佛時

（完稿於 2014年2月7日）

人間世紛紛亂亂，正如李煜〈相見歡〉裡說的「剪不斷，理還亂」一般。剪麼，是剪不斷的；理麼，則還是要理。人生一場，總是希望弄清楚，這個紛紛亂亂人間世，怎麼回事？怎麼運作？對於肯思考的人而言，這也算是一種不能避免的習慣。

要理解「怎麼回事」，就要提出「為什麼」。「為什麼」，不是單純的要求答案，而是要知道答案背後的道理和規律。提出「為什麼」者，不滿足「知其然」，一定要「知其所以然」。換句話講，提出「為什麼」者，要求回答者以「因為」「所以」模式回答之。例如：你姓王麼？不是個「因為」「所以」的問題。你為什麼姓王？就是個「因為」「所以」的問題。經濟不好麼？不是個「因為」「所以」的問題。經濟為什麼不好？就是個「因為」「所以」的問題。諸如此類。

中國社會長期穩定，中國人長期保守，對於問「為什麼」，不大習慣。一句有趣的話，叫做「打破砂鍋問到底」。這句話，有負面的味道；也可以看出中國人對於事情的「因為」「所以」，相當不關心。對於事情的道理和規律，相當不關心。這種態度，可能是中國科學不發達的原因之一。孔子曾經說過「大哉問」；殊不知，真正的「大哉問」就是問「為什麼」。無論那個問題多麼微不足道，甚至多麼可笑。當然了，如果問人間世「怎麼回事」，怎麼運作？那可算是「大哉問」中的「大哉問」了。

對於這個問題，現代，以社會學家最為關心。他們把人類的社會運作，分門別類的建立「模型」（model）表述。古代，則以宗教家最為關心。他們把人類的各種社會運作，統合在一個「模型」之下。至今仍然留有餘緒，留有影響。世界的各大宗教，以佛教最為古老。它對於其他宗教，也很有影響。以致今日的各大宗教，對於人間世的運作「模型」，也都大同小異。佛教那個最古老的人間世「模型」，叫做因果觀。

> 佛教對其他宗教的影響，非常明顯。不過站在信仰者的立場言，多不能接受這件事情。這裡僅簡單提出世界各大宗教的出現年代，作為一種暗示罷。佛教約出現在2500年前，基督教約出現在2000年前，伊斯蘭教約出現在1500年前。

佛學因果，道德決定的A→B

佛教的因果觀能夠普世流行，和「因緣說法」，和眾生資質比例，都有絕對關係。「因緣說法」，是佛教的特有佈教方式；也就是遷就眾生資質，講各種人能夠接受的道理。因此，其他宗教都只有一部經典；只講一種道理。佛教卻有浩如煙海的經典；講各種不同的道理。其中，講因果觀的經典，佔大多數－因為，在遷就眾生資質的「因緣說法」上，講因果觀，有實際的需要。

眾生的財富地位權力…像是金字塔般地，在社會上分配著。資質這件事，（佛教稱為「根器」）亦復如此。資質不高的眾生，總是社會大多數。他們無法了解複雜的道理，（佛教稱為「迷惑」）而如同孩童一般，有把世界簡單化、理想化的傾向。（無怪，老子也把百姓視為孩童）越簡單的道理，越適合其簡單的接受能力。佛教因果觀非常簡單－世間種種，透過其因果解釋，便都有了邏輯關係：我們作什麼事，就有什麼結果；我們有什麼結果，是因為作了什麼事。這種邏輯關係，把人（成人）的世界簡單、理想化了。在類似孩童的理解下，世間的諸般現象，幾乎可以簡化到以數學「實質條件」A→B 來框架。A→B 中間的那個箭頭符號，意思是「若…則」「如果…必然」。那個箭頭，代表了 A 與 B 的因果關係。A 是因，B 是果。若 A 則 B；如果有 A 之因，必然有 B 之果。

可是，佛教因果觀的邏輯，落實在人間世，沒有建立 A→B 代表的數學因果，而是建立了道德因果。道德因果，可以總結為「善有善報，惡有惡報」。這句話，把數學的因果觀念，和道德善惡，做了結合：善→善報，惡→惡報。並且，A 與 B 中間的那個→符號，表現出強烈的道德判斷－報應。科學思惟，轉變為道德與宗教、罪與罰的思惟。佛教的世間因果觀，簡單講，就是一種報應觀。

不過，根據實際經驗，因果報應並不常常出現。雖然「善有善報，惡有惡報」的後面，還接了「不是不報，時辰未到」一句話；可是，要等到什麼「時辰」報應才到呢？對於等待「時辰」的問題，佛教還有「三世因果」理論，可以做為因應。例如著名的：「要知前世因，今生受者是。要知後世果，今生做者是」。「三世因果」說法，聰明地把等待報應的時間拉長，拉長到不可知的前生後世去。如此一來，道德、報應、前生後世等等不相關的東西，複雜的綑綁在一起；

形成了完整的佛學因果觀。這種打著因果旗號，與因果越走越遠的道德綑綁物中，見不著真正的因果，見不著 A→B 的真實意義。然而，這種綑綁物，長時間裡，給中國人極大的精神慰藉－對待孩童一般的慰藉。

> 「善有善報」那句話，出自《纓絡經》；部分學者認為那是一部偽經。「要知前世因」那句話，見南宋王日休編的《龍舒增廣淨土文》也見《三世因果經》。《三世因果經》是比較公認的一部偽經。偽造的文字，發生大影響。真實的文字，卻不大發生影響，是一個有趣宗教問題；也是一個有趣的史學問題。

科學因果，必然決定的A→B

暫時放下佛學因果，談談因果的科學意義罷。在科學上，前述那個「實質條件」箭頭符號→可是很嚴格。箭頭前面的原因，必然導致箭頭後面的結果。原因（cause）結果（effect）間有必然關係，稱為因果關係；（cause-effect relation）或者稱為因果律。（law of cause and effect）有時候在數學論述上，這種因果關係，也可以簡單的用 ∵ ∴ 符號表示。無論是→還是 ∵ ∴，都代表明確而嚴肅的科學意義；那個意義，就是必然。（necessity）絕無其他可能的必然。

必然，和偶然（contingency）是相對的概念。必然的過程，沒有機率（probability）涉入。偶然的過程，則由機率主導。例如玩撲克牌：手中拿著五張 1，隨便抽一張，必然是 1。手中拿著 1、2、3、4、5，隨便抽一張，偶然是 1。（只有五分之一的可能）必然，就是像手上拿著五張 1；那樣絕對，那樣肯定，那樣不可通融。

科學的因果，就是必然關係，不能有任何其他的可能存在。這種關係，基本上，只存於物質世界裡。比方說：兩個氫原子 H 和一個氧原子 O，合成一個水分子 H_2O。兩氫一氧這個因，必然合成一個水分子這個果。這種因果的必然，是沒有任何例外的。在中國做這個合成試驗，在美國做這個合成試驗，還是在月球上做這個合成試驗，都不會出現其他可能。

這樣絕對的因果律，在生物世界裡，就要鬆動很多。因為，生物非但會「動」，還會「主動的動」。（動物動得快，植物動得慢）「動」一旦出現，因果律就被打破；那個→符號的左右關係就不必然了。更何況，生物還會「主動的動」－隨時隨地不停的「動」。「動」的情況越頻繁，因果關係就越鬆動；最後，便不能再稱之為因果關係了。

生物能夠「主動的動」，是意志的表現。植物的意志常常被視為「趨」;（例如趨光性、趨地性）好像是一種本能。動物的意志表現，在「主動的動」這件事上，就很清楚了。動物等級越高，越有意志，越能夠「主動的動」;越能夠破壞因果間的必然關係。然而，動物的動，基本上是指運動。(move）而人類為萬物之靈，人類的動，除了運動外，還有大量因為文明文化而造成的變動和改動（change）－改動主客觀的條件與環境，以利自我意志之遂行。(並且，你動，我動，他也動…人類的動，絕非單純個體「自動」，而是，無數個體「自動」，以致交叉影響的混亂「互動」interaction）人類行為之不具科學因果，道理很淺顯。甚至可以說，不受科學因果拘束，是萬物之靈與萬物之間，最大的一種區別。

萬物之靈這句話，很像西方進化論下的一種說法。幾年前讀書，才發現它竟然出自於《尚書／周書／泰誓上》「惟天地萬物父母，惟人萬物之靈」。中國雖然不講科學，但是對於人和自然的關係，倒是不冬烘。特別是先秦典籍中，常有發人深省的言語。

世間因果，變數決定的A→B

佛學的因果，我稱它為道德綑綁物，那是一種冥想出來的東西；人生在世，不受那種因果約束。科學的因果，是物界法則；但是人為萬物之靈，最受各種「動」的影響；所以，人也不受科學因果約束。這樣說來，人和因果不發生關係了？人類的行為模式沒有規律了？怪不得西方存在主義者，喜歡說人是不理性的，人生是荒謬的。

人生或許是荒謬的，但是，世間還是有因果關係。只是，它不是佛學因果，也不是科學因果；而是一種很鬆動不定的因果；這種鬆動不定的關係，可不可以稱為因果呢？真是見仁見智。不過，這種關係也可以用 A→B 的符號表達。只是要從新界定 A→B 之 A，把「動」的因素加入 A 內即可。加入「動」的因素後，世間因果的 A→B 關係，可以正式的這樣敘述：

C＋V→ E

C：Cause（原因）V：Variable（變數）E：Effect（結果）

這個「原因＋變數→結果」的關係，在科學上有點荒腔走板。（變動放入必然關係中，聽起來是很吊詭）但是，它的確反應了世間因果的真相。這個 V，像是個頑皮小孩－雖然無心撥弄，世間卻受操縱。舉個輕鬆例子，說明 C＋V → E 的頑皮運作罷。

比方說：「掉了一塊錢在地上」。掉一塊錢這個因（C）會造成什麼果（E）呢？這個從 C 到 E 的關係，既不受道德、報應左右，也沒有什麼必然性。C 與 E 是否出現因果關係呢？要由變數 V 來決定。V 那個頑皮小孩出現了，因果才出現，→的左右關係才能建立。試看變數 V 的幾種作用：

1 掉一塊錢＋V（變數沒有起作用）→ 損失一塊錢

2 掉一塊錢＋V（又撿起來了）→ 沒有損失一塊錢

3 掉一塊錢＋V（小朋友撿了還我，給十塊錢作獎勵）→ 損失九塊錢

4 掉一塊錢＋V（低頭找錢沒找到，但是撿到十塊錢）→ 得到九塊錢

5 掉一塊錢＋V（低頭找錢摔到溝裡，去醫院包紮）→ 損失一千塊錢

「掉了一塊錢在地上」，就是損失一塊錢麼？變數 V 一旦發生作用，可不是只有上述五個；可是有無窮無盡的可能。當然，它也可以不發生作用；（如 1 的例子） 讓人以為變數的不存在。事實上，在上述的 2－5 例子中，可以明顯看見：掉一塊錢那件事，幾乎沒有什麼意義。原因 C 和結果 E 之間的意義，完全由 V 決定；完全由一個數學上的變數操縱。「雖然無心撥弄，世間卻受操縱。」人生若是荒謬，其荒謬性大概就在這裡。

C＋V→E 是世間因果的真實運作。人類行為的原因和結果之間，不由人類意志（無論其理性還是不理性）主導，而由隨機偶然的變數主導。V 這個隨機偶然的變數，在中文語彙裡，和「緣」字最接近。緣不涉因果，也不是命運。緣是際遇或機遇，是偶然的隨機碰觸。緣的本義是邊際的意思，所謂邊緣；事件事物的邊緣偶然碰觸，

形成新關係，是緣的引申義。成語「因緣際會」，最能表達緣的引申義，最能表達它的隨機偶然內涵。所以，我們把 C＋V→E 寫成：因＋緣→果，也是可以的。我們說，人生沒有「因果」關係，只有「因緣果」關係，也是可以的。

後語：「論因論果皆顛倒，緣起緣滅見佛時」

佛教常常用到緣這個字。（佛緣、化緣、因緣、緣份）不過，少有人注意，佛教中的緣，並不是隨機變數，而是命定改變。佛教說的緣，有「三世因果」在背後支撐，是「報應」（善報或惡報）的一部份。佛教不會接受「因緣際會」的那種緣；因為，佛教不能在因果之間，加上變數。在道德因果的「報應」世界裡，怎麼可以有隨機與偶然？（若是報應與否充滿變數，誰還相信報應）更何況，世間運作，若由隨機與偶然操縱，那就徹底破壞了「報應」施行者的神祕性格。試想，當我們虔誠的求神問卜時，發現膜拜崇敬的對象，竟然是一個頑皮的數學符號；那真是情何以堪？所以，把 C＋V→E 放回科學裡，有點荒腔走板。放回佛學裡，也難被正統佛學家所同意。佛教不承認上述那種「因緣果」的關係。

本文開頭說過，佛教的佈教特色：在於「因緣說法」、在於遷就眾生的資質比例。所以，佛教解釋世間法則時候，道德因果始終是個主流。但是，遷就「大眾」外，必然還得遷就「小眾」。這種對「小眾」的遷就，出現在佛教最重要的《金剛經》《心經》等等經典之中。《金剛經》不論因果而論空相；以為世間諸相不實，都應該以「如夢幻泡影，如露亦如電」視之－當然，因果報應也是不實之相。《心經》則更為殊勝；它完全以打破佛教因果基礎之「十二因緣」為目的。(「十二因緣」講「無明、行、識、名色、六處、觸、受、愛、取、有、生、老死」之間的必然關聯，與其所導致的三世輪迴)《金剛經》與《心經》，雖側面地駁斥佛教因果觀，卻沒有正面地提出變數（緣）的觀念。然而，《金剛經》與《心經》，在中國最受重視，最獲知識份子青睞，卻是一個不爭之實。也可以說，在「因緣說法」的態度下，對於世間的因果問題，佛法還是為根器不同的少數人，留下了一些吉光片羽。

走筆至此，頗有一點「不可再說，不可再說」的感覺。便以禪宗愛好者的立場，胡亂寫了一個小偈，作為本文的結束，也算是對自己的時時提醒罷。偈曰：「論因論果皆顛倒，緣起緣滅見佛時。」

中國文化的展望
－從一個基本規律說起
（完稿於 2010年6月15日）

前言

拿破崙說「中國是睡獅，不要讓牠醒過來」。湯恩比說「二十一世紀，是中國人的世紀」。拿破崙是政治家，湯恩比是文化學者。他們對中國的觀察，有不一樣的地方。政治和文化似乎沒有什麼關係，卻又有非常特殊的聯結。本文著眼于文化，也著眼於那種特殊的聯結。

略論文明與文化

文明（civilization）和文化（culture）之間的差別，並不是那麼清晰。一般而言，文明偏向人類的科學成就－也可以說是求真的成就。文化偏向人類的社會成就－也可以說是求善、求美的成就。這種說法，並不絕對；也並不是所有的人都接受。不過，可以作為一個約略的分別標準。

求真的科學成就，是非常客觀的事情。西方自文藝復興以來，顯然超過中國甚多。中國在科學方面，追趕的相當辛苦。而求善、美的社會成就，就不是那麼客觀。套一句科學術語：善與美是不能實驗的，它不是放諸四海皆準的道理。再換句話講，善與美的成就不能經過科學驗證，與他人建立理智共識；而需要經過心靈共鳴，與他人建立感情共識。這是文明與文化，在建立和發展方式上的重要不同。

文化的標準問題－舉幾個歷史上的例子

文化是人類的社會成就，其核心在於求善求美；以及由善、美演繹出的各種相關問題。科學成就是沒有爭議性的，任何人都要理性的服膺之。但是人類的社會成就有爭議，它可以被其他人感性的接受，（共鳴）也可以被其他人感性的排斥。（不共鳴）它沒有絕對的是非對錯，只有相對的喜愛與不喜愛。從歷史上看來，這種喜愛與不喜愛，不是散漫而無章法的存在；而是有系統的存在－特別是存在於有系統的時間和地域之中。因為，對於文化的喜愛與不喜愛，共鳴與不共鳴，背後總有力量主導。這種力量會建立文化上的統一標準，而令大多數人集體的與之共鳴共識。這種可以控制集體共鳴共識的力量，就是政治力。雖然在歷史上，它常常以宗教、法律、經濟、軍事等等面貌出現。

在中國，最主要的文化內涵是儒家文化。儒家這種思想之所以長時間成為中國文化的主要內涵，是因為在西漢武帝時，有「獨尊儒術」這個政治動作。漢代經由政治力量的介入，使儒家文化成為一種幾乎是唯一的文化標準。這種標準一旦從政治的高度建立起來，所謂的集體共鳴共識便開始發酵；至今維持了兩千年。儒家文化是最好的文化嗎？儒家文化是最適合中國的文化嗎？這些問題都難以簡單的回答。但是兩千年前，漢代政府將儒家定位後，儒家即成為文化上的最高指導標準。中國人兩千年來所謂的善惡、是非，都在這個標準之下，接受審視。如果當時沒有建立這個標準，我們如何看待善惡、是非，怕都不是今天的這個樣子了。

也許這樣談文化，談所謂善的標準太嚴肅。那麼，再舉幾個輕鬆的例子，來看看美的標準罷。古代有一句話「楚王好細腰，宮中多餓死」。（這兩句話出自《墨子》。經過多方多次引用引申，已經不是《墨子》的原文原意）說楚國國王喜歡腰細的女子，結果建立了美的標準。宮女們為了迎合標準，餓死了不少人。這雖然是個寓言、是個笑話，卻也準確的反映了關於美的標準問題。如果明白美、善標準的建立，都和政治力有關，就應該不會再有「趙飛燕瘦！楊玉環胖！到底瘦美？還是胖美？」這種問題了。趙飛燕是漢成帝寵愛的女子，楊玉環是唐玄宗寵愛的女子。漢、唐皇帝的愛好，夾帶著至高無上的政治力量，各自確立了那個時空下的美醜標準。特別是唐明皇和楊貴妃的愛情，使得「胖即是美」的標準，深入社會。考古學上，玄宗以後的出土仕女俑多體態豐盈，可以見其一斑。直到現代，英國女皇的打扮，日本太子妃的打扮，不是還都多少吸引著世人的目光嗎？

善的標準，是人為的。原來美的標準，也是人為的啊。人的善惡是非真是難說。同樣的，人的美醜媸妍也真是難說啊。

強勢文化與弱勢文化

趙飛燕的瘦和楊貴妃的胖，都是中國歷史上美的標準。這是一個好例子，讓我們知道文化的標準會改變。但是那是在同一空間（中國）裏面，因為時間不同（漢與唐）而發生的改變。若是時間相同而空間不同呢？那就要說到地區、民族、國家的文化，說到世界文化了。

世界上各個地區、民族、國家都有不同的文化。說到世界文化的不同，大家喜歡以文化特色來形容之。這種講特色的態度是很好的：因為文化各具特色，所以任何人都不應該輕視其他族群的文化，不應該隨意的以文化高下來區分族群。文化上的差異，本來只是人與人之間的不同感性共鳴罷了。可是，世界上的各個文化或許沒有高下，卻有強弱。有強勢文化和弱勢文化。

前面說過，政治力量主導著文化標準，而形成集體的共鳴共識。說到世界文化，其情況依然一樣。世界上各種文化的強弱，與其所依附的團體實力成正比。一個原始部落的文化強勢，是因為那個部落較其他部落強大。一個國家的文化強勢，是因為那個國家在國際上力量強大。講得更明白，文化強勢與否，和政治力量成正比－強勢文化的背後，一定有強勢的政治實力作為支撐。

在國際關係上，有一句現成話，叫做「弱國無外交」。同樣的，我們也可以說「弱國無文化」。事實上，弱國不是沒有文化，而是弱國的文化必然相對弱勢，不受強國青睞。文化本是一種共鳴，一種較不理性的感性共識。這種文化上的共鳴共識，具有類似物理學上的引力關係：強吸引弱，弱為強所吸引。（無論出於崇拜、遷就或者屈服）然而，文化共鳴是一種單向的共鳴。它不容易發生反向、或者雙向的吸引。因此，強國與弱國之間，盡可以表示友善，說一些漂亮的外交辭令。卻很難真誠的相互愛慕其文化，接受其文化。

古代的中國帝王們，建立了文化標準而影響著中國人。同樣地，近代世界的強國們，也掌握著建立文化標準的特權，而影響著其他國家的文化。強國所建立的各種標準，透過國際上的政治影響力，向四方輻射後，它們的文化標準，便成為世界文化的標準；它們的文化，便成為世界上最優秀的文化。這是世界文化舞臺上，不斷出現的戲碼，現實而冷酷。西方發生文藝復興以來，中國因為科學落後，國際上的力量大不如前；中國文化在世界上受重視的程度，也遠遠不能與漢唐時代相比較。甚至，近代中國，出現「外國月亮比較圓」的說法。近代中國，沒有主動建立起文化標準。只是被動地，接受西方文化標準的檢視。哪裡的月亮比較圓？不一定。要看我們從哪個角度去看月亮。

亞洲標準與世界標準

歷史上，中國在亞洲始終是強大的國家。因此中國文化在亞洲普遍的受到重視，形成所謂的中國文化圈。中國文化圈縱貫整個亞洲東海岸；上至東北亞，下至東南亞。其中韓國與越南，至今仍使用中國姓氏。日本，至今還部分使用中國文字。中國文化，儼然成為亞洲文化的代名詞。根據前面反復說明的文化標準、文化共鳴共識理論可知，中國文化在亞洲長期受重視的原因，是由於中國在亞洲政治力量的長期強大。

自十四世紀西方開始文藝復興，提倡科學與民主，出現了現代的新式國家。中國政治力量的世界排名，急速後退。到了十九世紀末二十世紀初，更是欲振乏力，弄至幾乎亡國滅種。中國政治力的衰弱，導致了文化的弱勢。以致整個亞洲文化也在世界上不受重視，成了次等文化一般。中國文化上的各種標準－各種善、美標準，都在世界文化中缺乏影響力。這種情勢的形成，是歐洲白種人努力於國家政治力量的自然結果。中國除了在政治力上迎頭趕上外，不需要對文化衰弱的現象妄自菲薄、怨天尤人。畢竟人世間的事事物物，都在歷史的唯物規律中自然進行。

經過百年來的調整與改變，中國在世界上奇跡式的再度崛起。（中國的再度崛起，確是世界史上的奇蹟。或再有專文說明）中國的國運陰霾，終於過去。中國的國際政治力排名，不斷超前，並且將要成為明日世界的超級強國。中國文化的復甦，也有超越歷史上的亞洲規模，而進入世界領域的趨勢。在政治力量持續強大的過程裏，中國將會在世界上建立舉足輕重的文化標準。並且，讓世界上其他民族對中國的各種善、美標準產生共鳴共識。然而，在我們為中國文化即將發光發熱而歡喜的同時，不要忘記，文化是一種心靈上的非理性共鳴作用。文化的強弱，與其所依附實體之政治力量強弱成正比。拿破崙說「中國是睡獅，不要讓牠醒過來」。湯恩比說「二十一世紀，是中國人的世紀」。但是，唯有睡獅已醒，並且昂然站立的時候，二十一世紀，才會是中國人的世紀。這種因果關係，是一種絕對的歷史規律。這種規律，是關心中國文化發展的人、期待中國人世紀來臨的人，應當謹記在心的事情。

簡體字可以繁體化嗎
－一個書史上的例證
（完稿於 2012年1月20日）

前言

二十世紀，在中國文字史上發生了一件大事，那就是大陸推行簡體字。說它是大事，因為中國文字近兩千年以來，沒有重大改變。（如果不說字形，而說書寫方式－書法，大概自唐以來沒有大改變－唐朝是楷書的確立時代。如果說字形，那時間還要往上推移一些）這件大事真有那麼大嗎？其實也沒有一般人想像的那樣「破天荒」。因為，中國文字在歷史上，改變了好多次。每一次的改變，也並沒有引起什麼重大社會反應；而只是在文字、書法史上，留下一些痕跡。

中國字是一種表意符號，（意符）和西方的表聲符號（聲符）不同。聲符是見其字而聯想到聲音，意符是見其字而直接見到意義。聲符有聽覺問題在內，意符則純然是視覺問題。說穿了，意符可以「望文生義」，是因為意符乃象形文字，是一幅小畫。看著那個小畫，當然多少可以明白它的意思。

世界上用意符的民族，主要是中國、印地安和埃及。中國和印

> 地安是絕對有關係的，埃及則說的遠了一些。要證明這個問題，考古資料要比文獻資料有說服力的多。可惜今天的史學界和考古學界之間，仍然有一道不小的鴻溝。

這種小畫形式的文字，除了表意之外，還很美觀。只是每寫個字就要畫幅畫，也著實麻煩了些，慢了些。因此，雖然是一種優美的文字，中國人總想把它寫快一點，簡化一點。一部中國的文字、書法史，其實就是一部中國字的簡化史。每一次的文字改變，幾乎都是發明了一種簡體字；其動機，就是想寫快一點。這樣看來，二十世紀的文字簡化，又不是一件多麼大的事情了。

繁而簡－象形文字的必然發展

歷史上的文字簡化，應該從秦代的隸書開始。（甲骨文、金文、小篆之間的改變，簡化意味並不強烈）秦代是中國帝制的開始，中國有集權領導中心的開始。雖然秦代有了官方的小篆，但是那種筆走龍蛇的寫法太慢，不能配合秦帝國的大量公家文書，因此出現隸書。

隸書並非奴隸的文字，而是官吏的文字。吏是小官，沒有什麼權力，但是秦代小吏，要面對遠多於以往的公文，不停抄寫。這是隸書出現的背景，隸書是為方便抄寫，在小吏間彼此流通的簡易寫法。這種簡化過的文字，沒有波磔，沒有線條粗細，看來和現在的硬筆書法類似。這種簡化的文字，叫做秦隸。

這種秦代的簡體字，相對於小篆，寫起來真是快速過癮。結果到了漢代，大家都寫隸書，只是漸漸加上波磔，加上線條變化來美化它，這就是漢隸。至於難寫的小篆呢？反倒退居其次，應用範圍大大減少。這是繁體不敵簡體的第一個例子。

（篆－秦嶧山刻石 ）（隸－新莽萊子侯刻石）（草－傳東漢章帝草書）

古人說「心如平原走馬，易放難收」，確是不錯。漢代隸書大行其道以後，大家嚐到了書寫快速的滋味，便再次的改動字體，改動書寫方式。前者是結構的簡省，後者是線條的連續。那就是草書－一種和以前文字完全不同的文字。我們稱為章草。

章草的出現，是中國文字的大改革。章草也叫「草蒿」，有草稿的意思。章草的原始，應該是小吏「打草稿」寫法產生出來的。後來，因為其線條優美流暢，很多高級官員也寫章草，把它視為一種藝術，而取得了地位。章草除了是草稿寫法外，還有很重的速記（shorthand）味道。

章草的章字，有解釋為漢章帝之章－他那時最流行；有解釋為奏章之章－給皇帝寫奏章。另外中國也有「急就章」的說法。「急就篇」本是西漢元帝黃門令史游所作，是教蒙童識字的字書。「急就章」很可能是「急就篇」引申來的，這裡有快速的意思，也有一點輕視的意思。「急就章」的那個「章」字，應該和章草的名稱由來有關係。我說的章草像是速記（shorthand），也應了「急就」兩個字。

章草看起來，和舊式的各種文字都不一樣。說它是一種新文字，也不為過。章草拋棄中國字的象形原則，而以書寫快速為唯一訴求；那真是中國文字的大解放。它雖然沒有向聲符的方向走，但是，卻已經不是意符，不再是圖畫了。將隸書再度簡化的速記式簡體字，在漢代大大流行，是繁體不敵簡體第二個例子。

簡而繁－一段逆向的重要歷史

字體由繁而簡，書寫由慢而快，始終是中國文字演變的基本趨勢。就在章草將要取代隸書的時候，有人說話了，並且留下文字紀錄；那就是東漢趙壹的〈非草書〉。「非」是非難的意思。〈非草書〉這個題目下的很重；雖然內容還算曲折婉轉。

趙壹在〈非草書〉中說，隸書的出現，純然為了「趨急速」「示簡易」，已經不是「聖人之業」。現在連齔齒（換乳齒）小兒開始識字，都寫草書。更何況草書「難而遲」（難寫又寫的慢）根本失去了「簡易之旨」。後半說法，當然不是事實。若不簡易，怎麼會大大流行？若不簡易，怎麼會連齔齒小兒都書寫？我說趙壹講話曲折婉轉，便是指此。他繞來繞去，說了些反話。

趙壹非難草書，反對草書的流行；反對中國文字由繁而簡、由慢而快的趨勢和方向。他對草書的非難，大概來自於兩種想法：一，草書不重象形原則，不是他所謂的「聖人之業」。二，草書因為書寫過於快速，難免個人在結體上有些小變化。也就是說，每個人寫的草書都有些不一樣。（這種不一樣，即是高級官員將之視為藝術的原因，因為可以形成個人風格）可是這種不一樣，在文字的傳播功能上，有負面效果。也就是說，如果草書成為正式文字，在公文往來上，有看不懂、會錯意的疑慮，那就是個大問題。雖然，趙壹並沒有在文章中明說這個大問題。

趙壹的〈非草書〉，藉由唐代的張彥遠《法書要錄》得以保存下來。但是趙壹的意見，很可能代表了當時的普遍意見。大家都有看不懂、會錯意的經驗－畢竟文字傳播和文字藝術，是兩件事情。這種說法是很可能的。因為一種新興的字體，在草書大行其道的時候，漸漸出現。那就是楷書。現在我們可以看見的名家楷書，應該以東漢末、三國魏的鍾繇為早。

（楷－三國魏鍾繇〈戎路表〉）

一般而言，楷書是東漢王次仲所創造。不過一種書體的出現，若非由國家硬性規定，（例如小篆）便是由多人、長時的書寫習慣造成。（例如隸、草）楷書是不是王次仲創造，很是難說。何況王次仲是秦人還是東漢人，有不同說法。更何況，他還是道教中的神仙人物呢。楷書的出現，是一件可以多方面討論的大事。第一，自從它出現後，中國文字近兩千年不再有改變。（一直到大陸推行簡體字）第二，它是文字史上，唯一由簡而繁，由快而慢的成功例子。它的成功，違反了中國文字的進化原則。它的成功，也反應了「現實需要」這件事情，可以扭轉歷史的發展方向。

楷書之所以能夠成功，在於它是精心設計的一種書體。它採用了正統的隸書結構和流行的草書筆法。換句話講，它是一種遷就、折衷的書體：既可以書寫快速，（草書筆法）又可以維持辨識無誤。（隸書結構）我們把楷書中的勾、挑等等跡近草書的部分去掉，它看起來和隸書是一樣的。也即是說，楷書並沒有新創字體。它只是重新回到隸書，但是把隸書加上了草書的勾、挑筆法。這種遷就、折衷，是楷書可以在文字的進化史中，逆向發展並取得長久地位的重要原因。

結語

大陸推行簡體字已經有幾十年，它的利弊得失，很多人說過了。我以為它最大的缺點，是很多同音字可以相互代替。前面說過，漢代章草的出現，雖然在結構上違反了象形原則－不再是意符，但是它也並不是聲符。但是，大陸簡體字的同音代替，強迫地，把中國字在意符的基礎上往聲符靠近。（例如：只代替隻，后代替後，肖代替蕭，表代替錶）意符與聲符，是兩種完全不同的造字觀念，硬生生的雜湊在一起，就會產生溝通上的看不懂、會錯意問題。簡單說吧：「把你的表給我」，是指：給我你的「手錶」還是給我你的「表格」？沒有人看的出來。中國這樣一個崛起中的世界級大國，竟然在文字上連「手錶」和「表格」都分不清楚，真是茲事體大了。

其次，大陸簡體字的推行，讓大量的會意字流失。會意字是中國文字最有趣、最有智慧的部分。一個會意字，就是一種觀念，一種思想。會意字的流失，就是中國式想法的流失。這種損失，在長時間而言，是難以估計的。

中國重歷史，喜歡「法古」。凡是古人做過的，就可以做；凡是古人沒有做過的，就最好不要做。我寫這篇文章，是要舉個例子，告訴大陸的相關人士：文字由簡體而繁體化，歷史上已經有人做過；兩千年前就有人做過：楷書就是草書的繁體化。我們本著遷就與折衷的原則，試著把簡體字逐步的再調整，再繁體化，讓它至少能夠配得上一個超級大國的形象，是不會對不起祖宗的。大陸人才濟濟，盼望有心、有能力、有地位的人，可以認真的思考這個問題。這個問題，是個「現實需要」的問題。這個問題，隨著中國地位的日益攀高，是有些刻不容緩了。

王大智作品集　青演堂叢稿初輯隨筆　9900A01

達爾文氏是吾師

作　　者　王大智
校　　對　王大智

發 行 人　陳滿銘
總 經 理　梁錦興
總 編 輯　陳滿銘
副總編輯　張晏瑞
編 輯 所　萬卷樓圖書股份有限公司
排　　版　林曉敏
印　　刷　百通科技股份有限公司
封面攝影　王美衎
封面設計　宋檍雁

發　　行　萬卷樓圖書股份有限公司
臺北市羅斯福路二段 41 號 6 樓之 3
電話 (02)23216565
傳真 (02)23218698
電郵 SERVICE@WANJUAN.COM.TW
香港經銷　香港聯合書刊物流有限公司
電話 (852)21502100
傳真 (852)23560735

ISBN 978-986-478-085-3
2018 年 12 月初版二刷
2017 年 5 月初版
定價：新臺幣 280 元

如何購買本書：
1. 劃撥購書，請透過以下郵政劃撥帳號：
帳號：15624015
戶名：萬卷樓圖書股份有限公司
2. 轉帳購書，請透過以下帳戶
合作金庫銀行　古亭分行
戶名：萬卷樓圖書股份有限公司
帳號：0877717092596
3. 網路購書，請透過萬卷樓網站
網址　WWW.WANJUAN.COM.TW
大量購書，請直接聯繫我們，將有專人為您服務。客服：(02)23216565　分機 610

如有缺頁、破損或裝訂錯誤，請寄回更換

國家圖書館出版品預行編目資料
達爾文氏是吾師 / 王大智著.
-- 初版. -- 臺北市：萬卷樓, 2017.05
面；　公分. -- (王大智作品集)
ISBN 978-986-478-085-3(平裝)
1.言論集
078　106007759